学校というブラック企業

元公立中学教師の本音

のぶ
@talk_Nobu

創元社

はじめに

今、日本の学校は大ピンチだ。

公立教員の労働時間は増え続け、残業時間は世界最長レベルだ。過労死ラインを軽く越えている。どんなに残業しても公立教員は八時間分の残業手当しかもらえない。それなのに、ＩＣＴ化、過熱する部活動や学校行事、勤務時間外の生徒指導に保護者対応、地域ボランティア活動と増え続ける業務……。定額働かせ放題と揶揄（やゆ）されるほどである。

こんなブラックな環境で、教師になりたい若者は減る一方。教員不足が問題化して、教頭が担任をする学校まで生まれている。夢や目標をもって教師になっても、膨大な労働時間や理不尽な保護者の対応に、精神を病んで辞めていく教師も後を絶たない。今や十年連続で五千人前後の教職員が精神疾患で休職している。私のツイッターアカウントにも教育現場から多くの悲痛な声が寄せられている。

どうしてこうなってしまったのだろう？

私は十年間、中学校の教師として働いていた。子どもと一緒に笑ったり泣いたり悩んだりと、こんなに感情豊かに過ごせる仕事は他にない。楽しくやりがいはあったが、働き方はメチャクチャで、残業は百時間を超えていた。自分の時間がないこと以上に、家族との時間が取れないことがつらかった。子どもが生まれた翌日でも、休日の部活の仕事が休めなかった。あまりに時代遅れで報われない環境に絶望し、学校を変えるには、まず自分が変わらなくてはいけないと、教師を辞める決断をした。

　ブラックな学校に振り回されているのは、生徒も同じだ。小中学校の不登校人数は毎年増え続けて、不登校児童生徒の割合はこの十年間で二倍になった。中学校では二十五人に一人が不登校になっている異常事態だ。

「伝統」を守るために時代遅れの校則に従い、「子どものため」という名目でハードな部活動を強制される。ノウハウのない教員の下、いじめが放置され続けるなど、閉塞感の漂う学校で生徒は疲弊しきっている。

　教師も生徒もブラックな状況に振り回されていたら、肝心の授業や準備がおろそかになる。生徒の学びや人格形成にも影響を与える。

　こうした教育現場の問題は、何度もニュースで取り上げられる。それに対して、国は何かをしているだろうか？　また、現場はなぜ変われないのか？

私は学校と労働環境を変えるべく、労働時間削減のための学校行事の簡略化や、無駄な校則の廃止などに、長年取り組んできた。教師一人の力で学校を変えるのは難しい。管理職や職員と連携して取り組むことが大事だと学んだ。また、いじめが原因で生徒が自殺した事例のある学校に勤め、学校を挙げていじめ問題に取り組んできた。学校のいじめ指導はまだまだ変えられる。確かな手ごたえを得た。

本書では、学校現場でブラック労働が教育界に引き起こす問題と、それに伴う子どもたちへの影響について述べていく。私が学校で直面した、リアルな体験談をちりばめた。

私も今年から小学生の保護者になる。教師が苦しんでいるブラックな学校に、子どもを送りたくない。現場で戦っている先生たちのためにも、子どもたちが安心して学べる環境を守るためにも、学校現場が変わっていくことを願う。

もくじ

Chapter 3

部活で暴走する教師

Chapter 4

やばいいじめ指導をする教師

Chapter 5
仕事を増やし続ける管理職教師

Chapter 6
なぜ学校は変われないのか？

Chapter 1

理不尽な校則を強要する教師

「中学生らしさ」って何？

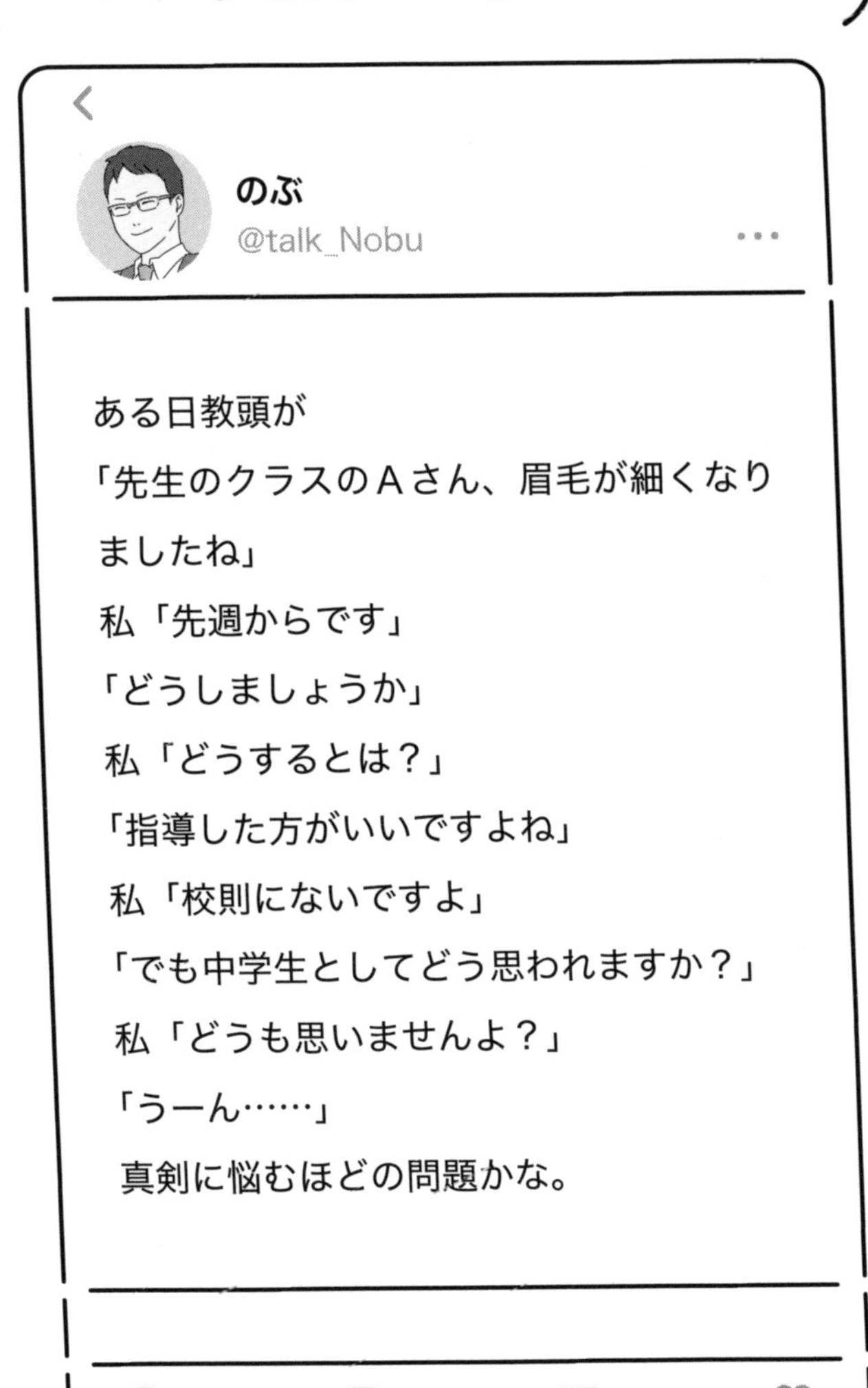
のぶ
@talk_Nobu
ある日教頭が
「先生のクラスのＡさん、眉毛が細くなりましたね」

私「先週からです」

「どうしましょうか」

私「どうするとは？」

「指導した方がいいですよね」

私「校則にないですよ」

「でも中学生としてどう思われますか？」

私「どうも思いませんよ？」

「うーん……」

真剣に悩むほどの問題かな。

「中学生らしさ」の正体は、教師が考えた中学生の理想像にすぎない。指導する教師の主観によって変化する。極めて曖昧（あいまい）なルールだ。

なぜそんな曖昧なルールがあるのか？

それは教師の「保険」として必要だからだ。

仮に曖昧なルールをやめて、指導する内容を全て校則に書くとする。教師によって生徒に指導したい理想像が違うので、校則が膨大な量になる。

また、書き忘れたことや、追加したいことが後で出てくるかもしれない。そんなとき、校則に書いていないからと指導できないのは困る。だから、「保険」としてわざと曖昧なルールを書き、後で指導できなくなるリスクを減らしている。

そこで、**校則には「中学生らしさ」という、解釈次第で自由に指導できる一文が必要なのだ。**

「中学生らしさ」は、実態がないことに意味がある。

では、生徒にとっての必要性は何か。生徒に直接のメリットはない。間接的だが、校則のおかげで学校が荒れることなく落ち着いているとしたら、それはメリットだと言えよう。

そもそも校則は、「学校が教育目的を実現していく過程において、児童生徒が遵守すべき学習上、生活上の規律として定められるもの」だ。だから基本的には、学校が生徒を管理しやすいように作られている。

基準が曖昧な校則がこんな使われ方をしたら、ただの言った者勝ちになる。指導する側の好みの問題だ。後出しでいくらでも言える。

「らしさ」で人をしばるような校則は、必要だと思わない。少なくとも、そんな実態がない校則なんてなくても、学校は荒れない。校則がなくても、生徒は落ち着いた学校生活を送れる。

教師の中には、先輩から言われたので仕方なく指導をしている人もいる。そういった教師に伝えたいのは、**もし先輩の答えに納得できないのなら、自分が納得できるまで先輩と会話してほしい**、ということ。それでもやっぱり違和感があるなら、その校則は不要だ。指導はやめた方がいい。

大人だって、「男らしさ」や「女らしさ」など誰かが勝手に決めた価値観を押しつけられたら嫌な気持ちになる。「中学生らしさ」という曖昧なルールに苦しむ生徒も同じだ。教師がどんなに自信をもって指導しても、子どもが指導された理由を理解できなくては反感を買う。理由も分からない指導で子どもに不満がたまると、いずれ教師不信や学級崩壊、いじめなどの問題行動につながる。**「中学生らしさ」は曖昧なルールなので、指導しない選択肢もとれるはずだ。**

One Point

なぜその校則があるのか？　ないと困る校則なのか？生徒に指導する理由が説明できるのか？　他の教師や生徒と一緒に、納得いくまで話し合うことが大切だ。

意味がない髪形の校則

のぶ
@talk_Nobu

なぜお団子ヘアーはダメなのか？　と女性教諭に聞いた。
A「時間がかかる。朝バタバタするし、一つ結びが楽で早い」
B「後ろの席の人の視界の邪魔になるでしょ」
C「ちょんまげとか、色々アレンジされても困る」
D「マット運動のときは邪魔」
まとめると、マット以外の授業はお団子OKでいいかな。

「ツーブロック禁止」「ポニーテール禁止」の校則が、ニュースで取り上げられた。校則と共に話題になったのが、禁止されている理由だ。

ツーブロック禁止の理由は「外見等が原因で事件や事故に遭うケースがあり、生徒を守るため」。ポニーテール禁止の理由は「男子生徒がうなじに興奮するから」。

現役の教師や教育長が述べたこれらの理由には、時代に適していないと疑問の声が多く寄せられた。

社会ではツーブロックは当たり前の髪形として定着している。それなのに、**なぜ学校は髪形の校則を変えることなく守らせ続けるのか？**

それは、髪形の校則を緩めることによって「華美な髪形」が流行ることを恐れているからだ。この「華美な髪形」は、中学生らしさと同じくらい曖昧な言葉だが、例えば剃り込みをいれるとか、編み込みをするとか、いわゆる漫画でヤンキーがするような髪形を防ぎたい思いがある。

仮にツーブロックを許可したとする。ビジネスマンにも多い短髪で爽やかな髪形なら文句は言われない。だが、片側だけ極端に刈り上げて、アシンメトリーになるような髪形は、教師によって意見が分かれる。「あんなに華美な髪形は中学生にふさわしくない」、「非行少年がやる髪形だ」とか、「学校の風紀が乱れる」とか言われる。

つまり、同じツーブロックでも許可できる髪形と、許可したくない髪形があって、「区別するのが難しいから全て禁止にしておこう」という結論になる。余計な指導が生まれないように禁止しておけば安心という訳だ。

だから、**教師も多くの髪形に関する校則の理由が説明できない**。正直に言えば「校則があった方が教師にとって管理が楽だから」が理由だが、生徒に納得してもらえるはずもない。教師は苦肉の策として「ポニーテールは男子が興奮する」などの理由を後付けして指導する羽目になる。

子どもに理由が説明できない以上、教師にとっても髪形の指導は苦痛だ。学校の判断で校則違反となった生徒は、保護者にお願いして切り直してもらう。保護者への連絡は担任の仕事だ。私も何度も嫌な気持ちで電話をした。

髪形を変えるのにはお金がかかるし、保護者の中には「この髪形の何が問題なのですか?」と訴える方もいる。**当然の疑問だ。**学校から「校則で禁止だから」と回答されても納得できないし、不信感が募るだけ。

髪形の校則があるせいで、生徒や保護者とトラブルになるのは本末転倒だ。**細かい髪形の校則があるせいで、校則違反の生徒が生まれ、指導の負担を増やしている。**体育や調理実習のときに「長い髪が邪魔にならないよう束ねる」など、明確な理由がある場合を除いて、髪形の校則は見直すべきではないだろうか。

One Point

基準の曖昧な髪形の指導を減らせば、指導にかける時間や、子どもや保護者との余計なトラブルを減らせる。生徒にとっても、教師にとってもプラスに働くはずだ。

黒髪の強要は なぜなくならないのか？

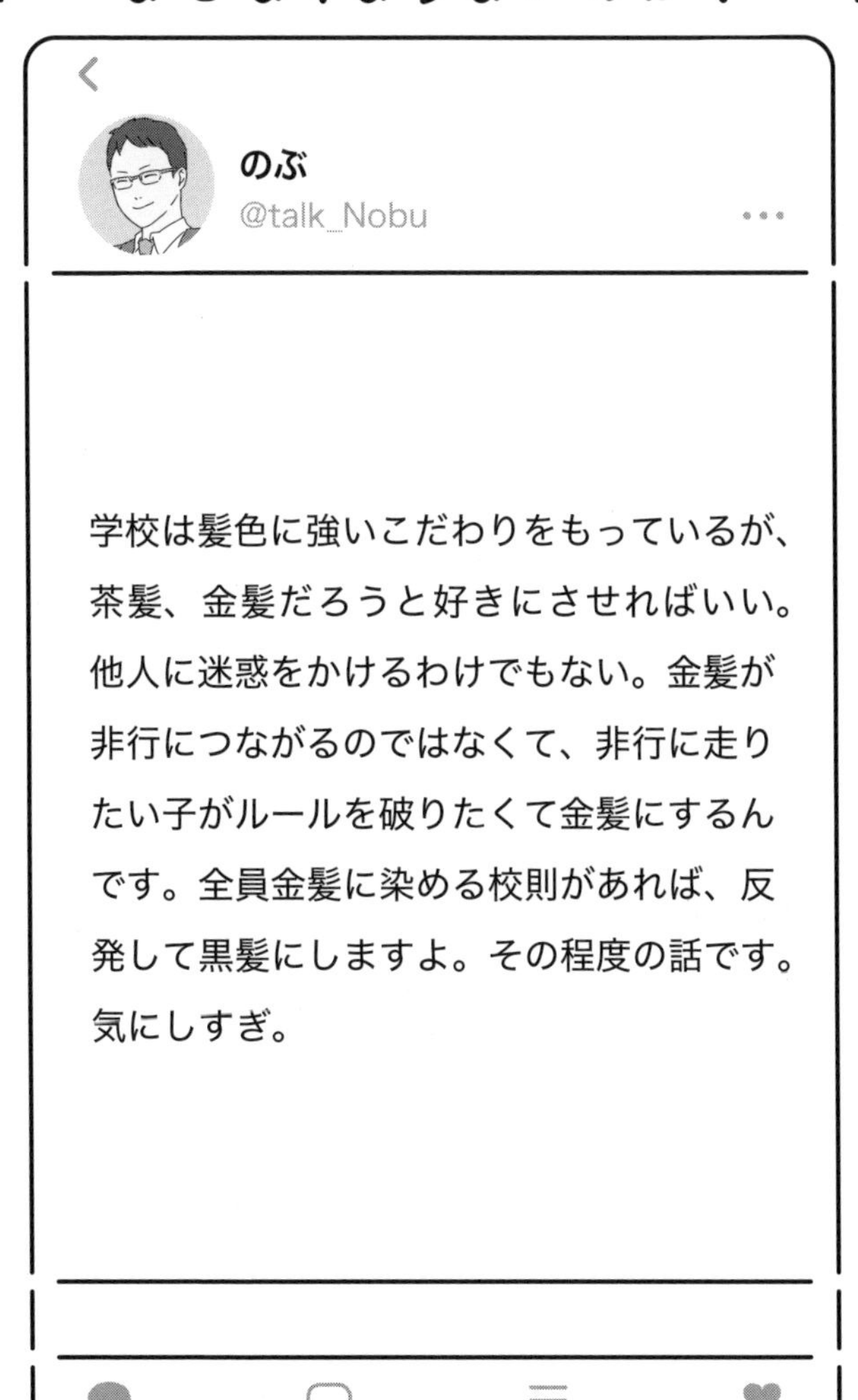

のぶ
@talk_Nobu
学校は髪色に強いこだわりをもっているが、茶髪、金髪だろうと好きにさせればいい。他人に迷惑をかけるわけでもない。金髪が非行につながるのではなくて、非行に走りたい子がルールを破りたくて金髪にするんです。全員金髪に染める校則があれば、反発して黒髪にしますよ。その程度の話です。気にしすぎ。

学校は黒髪に強いこだわりがある。髪の毛を染めた生徒は、まるで犯罪者のように取り締まられ、校舎に入れてもらえない学校もある。一部の高校では、生徒に地毛証明の提出を義務付けるなど、黒髪以外を排除する動きが強い。

なぜここまで黒髪にこだわるのだろうか？

理由は大きく二つある。一つは「髪の毛を染める＝非行に走る」という価値観が強いから。ヤンキー漫画の登場人物のように、金髪や茶髪の生徒が学校内外で問題を起こすことがある。だから教師は髪の毛を染めた生徒を見逃さず、厳しく指導して非行に走ることを防ごうと考えるのだ。

もう一つの理由が、高校進学や就職活動のときに困るから。高校は髪染めを禁止している学校が多いし、会社にも服装規定というものがある。茶髪や金髪で試験や面接に行けば、見た目で落とされることがある。だから子どものために、学校が髪染めを禁止するのは当然だと考えている。

確かにこれらの意見は一理ある。学校では、指導の根拠としてよく使われる。進路のことを言われたら、保護者も沈黙せざるを得ない。

しかし、**ここで考えてほしいのが、黒髪の強要は「日本人は普通黒髪だから」という前提で成り立っていることだ。金髪や茶髪の日本人もいるから、おかしな話。**外国人の生徒もいる。実際、校則があるから地毛証明を出させたり、黒染めを強要したり、教師と生徒とのトラブルが起きているのも事実である。

トラブルが起こるのは、ルールに問題があるからだ。見た目で人をしばるような校則は、必要だと思わない。

私の高校時代の話をさせてほしい。私は高校生活の三年間、校則が一切ない学校で過ごした。服装は自由、髪形なんて気にしない、金髪・茶髪の生徒が入学式初日からいた。そんな環境で過ごして、気づいたことがある。

まず、問題を起こす生徒は、髪の色ではなく、その子の性格や行動、特性が原因だ。金髪で落ち着いた学校生活を送る子もいれば、黒髪で問題行動ばかり起こす子もいる。**見た目とは関係がない。**

次に、高校三年生になると、就職や大学入試の面接がある生徒たちは、もとの黒髪に染め直していた。そして、面接が終わってからまた染める生徒もいる。**髪の色なんて、その時々でふさわしい色に変えることができるのだ。**

そして何より、金髪茶髪だろうが、ピンクの髪だろうが、学校の誰かに迷惑をかけることはない。だから校則がなければ指導する理由もなくなる。**校則があるせいで染髪が問題になって、生徒への指導が必要になり、不要なトラブルを生んでいる。**普段から一律に黒髪を強要するのではなく、必要な時期に必要な生徒に対して、適切な身だしなみの助言をするのが効果的な教育だ。

One Point

「多数派＝普通」という考え方は危険だ。子どもに「少数派は間違い。排除してもいい」と差別意識を生む。学校が「髪の色で人を差別するな」と指導すべきだ。

お化粧禁止は何のため？

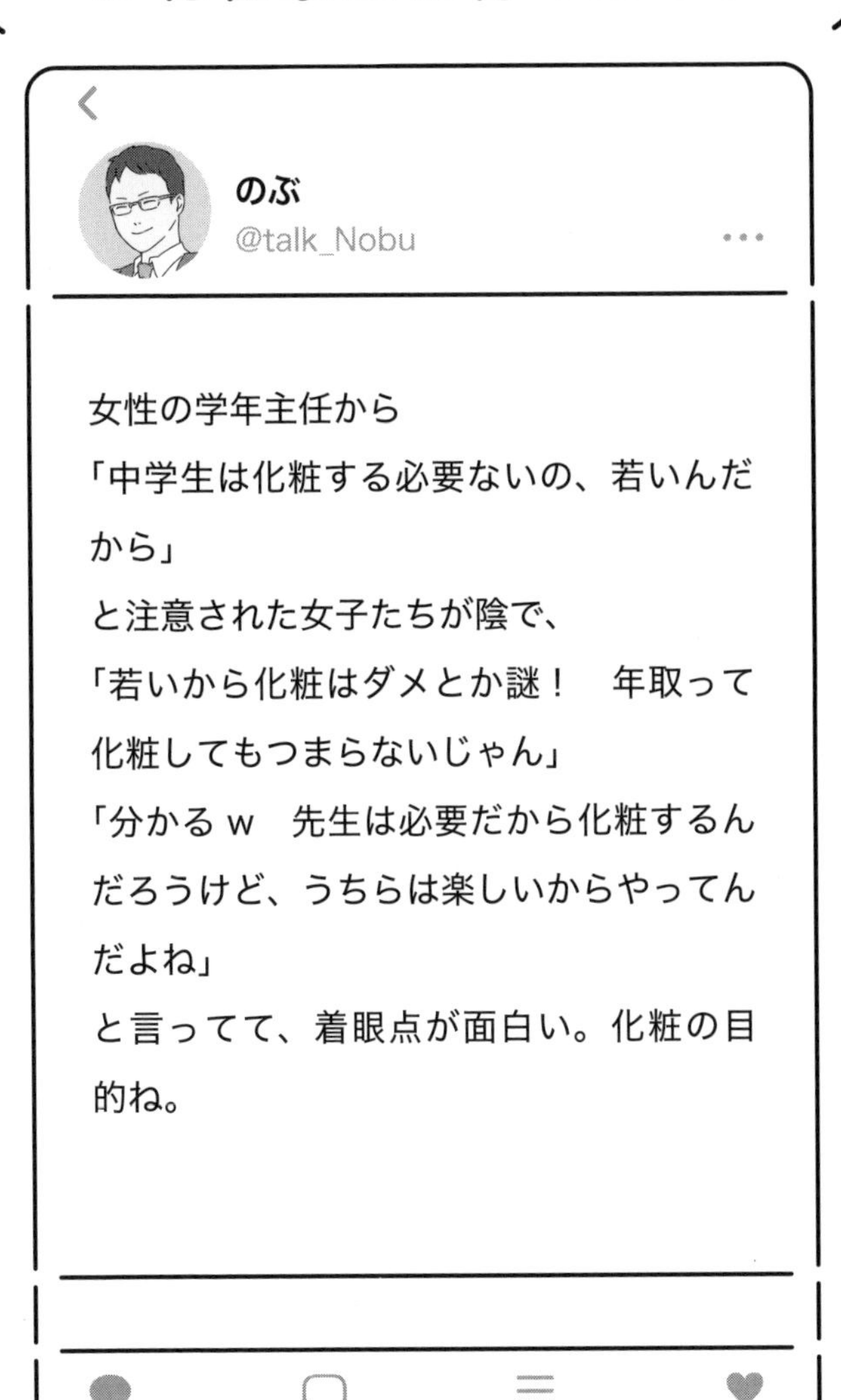
のぶ
@talk_Nobu
女性の学年主任から
「中学生は化粧する必要ないの、若いんだから」
と注意された女子たちが陰で、
「若いから化粧はダメとか謎！　年取って化粧してもつまらないじゃん」
「分かるｗ　先生は必要だから化粧するんだろうけど、うちらは楽しいからやってんだよね」
と言ってて、着眼点が面白い。化粧の目的ね。

お化粧禁止の校則が話題になると、必ず「女性は社会に出ると化粧がビジネスマナーや身だしなみで必須になる。学校では禁止されて教わらないのは矛盾している」とモヤモヤした訴えが出る。確かに矛盾だ。

良いか悪いかは別にして、**社会人は化粧するのが当たり前ならば、なぜ学校では禁止されるのだろうか？**

ここにも「中学生らしさ」が関係している。学校の先生に限らず、大人は「化粧っ気のない、垢抜けてない子ども」を好む傾向にある。だから「子どもがお化粧するなんてまだ早い」とか「若いうちは素肌で十分」とか、**理想の中学生像を押しつける指導がされるのだ。**

また、「化粧をすると肌が荒れるから」という理由も指導に使われる。これは皮膚科の先生に聞いたところ、化粧そのものが原因とは言えないそうだ。肌に合わない化粧品を使ったり、化粧を落とさなかったり、原因は様々。むしろ、適切なお化粧は見た目のコンプレックスを軽減し、メンタル的にもプラスな要素があるとも言われた。

素人の教師が不適当な指導をして、「化粧＝体に悪い」と誤解を生むのは危険だ。肌の荒れが気になるなら、専門家の皮膚科に行って相談すればいい。餅は餅屋だ。

話は変わるが、化粧の線引きは教師によってまちまちで、若手時代はかなり指導に悩んだ。化粧の知識がない私のような人間は、生徒が化粧をしていても気づかないことが多い。女性の教師から指摘されても、分からないことが度々あった。

例えば、色付きリップ。生徒の間で色付きリップが流行ったとき、先輩の女性教師が会議で「化粧だからやめさせましょう」と提案した。私は「何か唇についているのか？」程度で気にもしておらず、禁止する必要はないと考えていた。

しかし、結果は「唇に色が付くのは化粧だから」と校則違反になった。禁止に決まったので、色付きリップを付けていないかチェックしなくてはならない。

男性教師としては、女子生徒の唇を確認して指導することがためらわれた。**指導する内容を増やすと、生徒だけでなく、教師にとってもストレスが増す。**

他にも、透明なマニキュアを指導するのか議論した。「透明なら別に問題ないだろう」と考えていたら、「マニキュアは禁止するのが当たり前」という教師もいて、意見が割れた。見た目に関係ない部分まで禁止しようという考えには、本当に嫌気がさす。このときは私が生徒指導の立場だったこともあって、見た目で気になる場合は個別に声はかけるけど、一律に禁止しない方向で話をまとめた。指導しなくていいと決まれば、禁止すべきと言っていた教師も気にしなくなるもの。平穏に解決できた。

議論の中で「化粧の禁止」が前提になっていることには違和感があった。「お化粧禁止は何のため？」という疑問に、明確な答えがないからだ。だからこそ、教師は「そもそも化粧を禁止する必要があるのか」という問いをもち続けなくてはいけない。

One Point

一部の教師が気にしていることを全て禁止していたら、指導すべき内容が無限に増える。誰にも迷惑がかかっていないなら、ルールの追加はやめた方がいい。

アイプチを認めたら問題が起こるの？

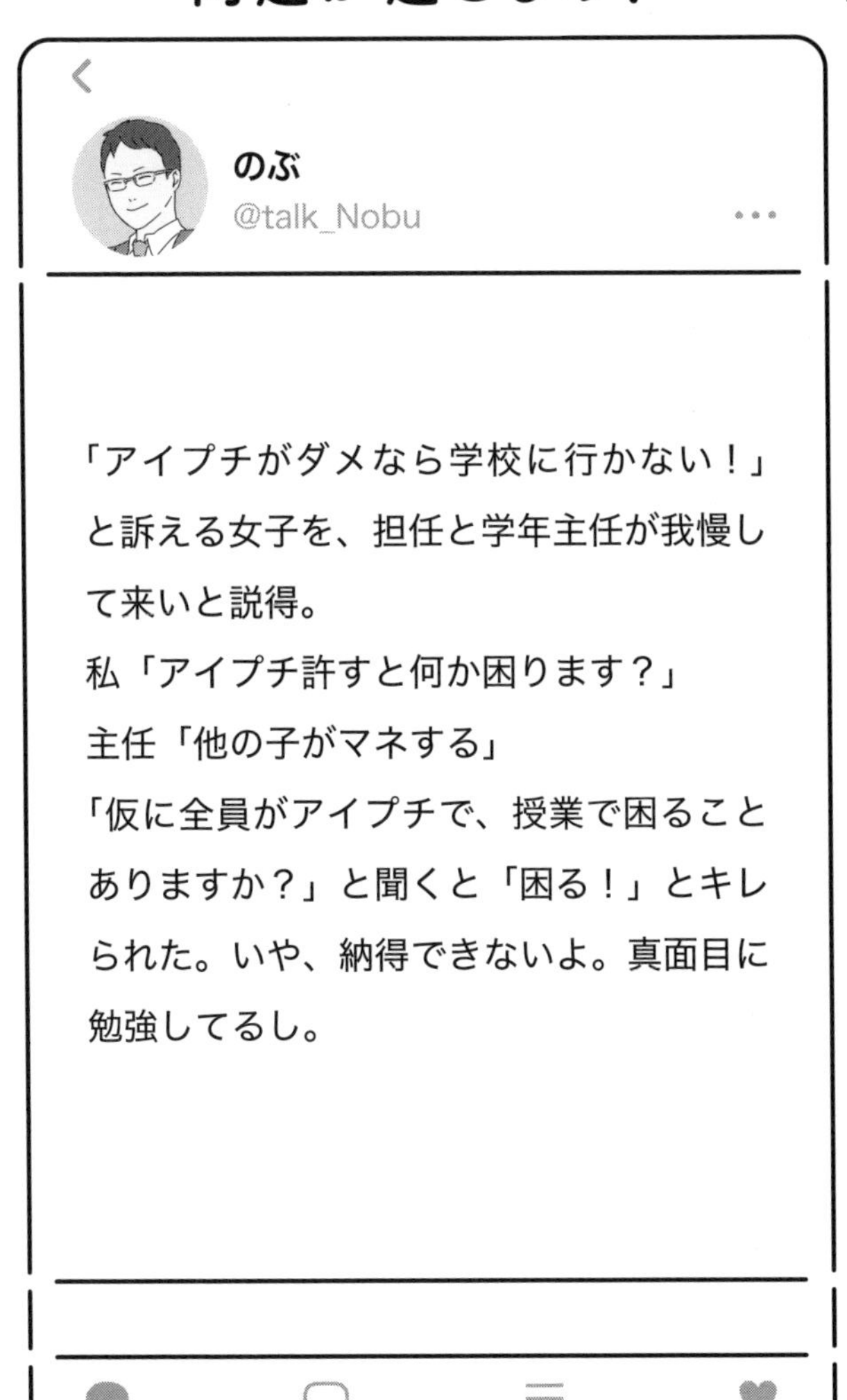

のぶ
@talk_Nobu
「アイプチがダメなら学校に行かない！」と訴える女子を、担任と学年主任が我慢して来いと説得。
私「アイプチ許すと何か困ります？」
主任「他の子がマネする」
「仮に全員がアイプチで、授業で困ることありますか？」と聞くと「困る！」とキレられた。いや、納得できないよ。真面目に勉強してるし。

私が教員四年目のとき、「化粧の禁止は何のため？」と疑問を強く抱くきっかけがあった。

ある女子生徒が、アイプチ（二重形成のり）をして学校に登校してきた。男性の担任と女性の学年主任がアイプチをやめるように指導するが、生徒は反発。「一重の自分の顔が嫌いで、人前に出たくない。アイプチをしていると落ち着く」と訴えていた。しかし、学年主任から許されることはなく、ついには「アイプチがダメなら学校に行かない！」と言って、学校を休み始めた。

その生徒の保護者も「娘は整形すると言って聞かなくて。中学生で整形はやめてほしいと伝えています。だからアイプチで我慢しているのですが、学校は禁止ですよね。説得しても聞き入れなくて」と困っていた。

生徒が学校を休み始めて三日目。報告を受けていた校長の提案で、校長、学年主任、担任、生徒、保護者を集めた面談の場が設けられた。面談の最大の目的は、生徒に学校に来てもらうこと。話し合いの結果、特別にアイプチを許可することに決まった。他の生徒に言いふらさないこと、行事では取ることなど条件はあったが、アイプチをすることで生徒が登校できるようになった。学年主任は、他にもアイプチをする生徒が出ないか心配していたが、そんな生徒はいなかった。

私も同じ学年の担任として、この一連の騒動に関わっていた。学年の会議では「どうやってアイプチをやめさせるか」が議論されていた。しかし、**「学校では化粧は禁止だから」以外にやめさせる理由がないので、説得できるはずもない。そもそも「化粧禁止は何のため？」という疑問に対して、明確な理由を説明できないのだ。**

それなら逆に「お化粧を認めたらどんな問題が起こるのか」と考えてみる。全員が化粧していても、授業は成り立つ。問題ない。授業中に化粧直しをするのは、禁止すればいい。他にも香水はやめてほしい。匂いがきついと、気持ち悪くなる人がいる。

こう考えると、化粧に関して学校で禁止すべきことは限られてくる。アイプチなんて、禁止しなければ気にする必要もない。**カラコンだろうと、色付きリップだろうと、指導しなくても誰にも迷惑をかけないのだ。**

化粧を認めたら全員が化粧をしてくるかと言えば、そんなことはない。前にお話しした私の出身高校は化粧も認められていたが、化粧をしていた生徒はごく一部。私は化粧をしたことがないので分からないが、面倒くさいという気持ちが勝つようだ。

自分のコンプレックスを隠すことで気持ちが前向きになるなら、多感な年ごろの生徒にとって化粧は必要なのかもしれない。一律に禁止するのではなく、相手の気持ちをよく聞いてあげて、それぞれにあった指導ができるのが理想だ。建設的な議論に時間を使っていきたい。

One Point

「今ある校則をなくしたら、具体的にどんな問題が起こるのか？」と話し合うことで、本当に必要なルールが見えてくる。不要なルールは見直せばいい。

見た目をそろえたがる学校

のぶ
@talk_Nobu

学年主任が
「先生のクラスのＡさん、スカートが短いから入試までに指導して下さい」
私「身長が伸びてスカートの丈が短くなったんですよ」
主任「でも入試で困るのは本人です」
私「丈はもう伸ばせません。どうしますか？」
主任「知り合いからもらうか、新しいものを買うかですね」
あと二週間で？　正気か？

同じ格好をした人々が、整然と並んで、息の合った集団行動を見せる。そんな光景を見て感動する人は多いのではないか。学校も同じで、**そろえることに美徳を感じる教師がいる**。だから見た目をそろえたがる。

例えばスカート丈や髪形、靴下の色と長さ、下着の色、カバン、そして上着など、校則で細かく制限されている。外見で個性を出すなんて問題外。統一した基準を設けることで子どもの見た目がそろい、その統率された様子を見て教師は安心感をもつのだ。

見た目をそろえることにもメリットがある。例を二つあげる。

一つは、貧富の差が見えにくくなることだ。

これは制服の必要性の理由でよく言われる。もし制服がなければ、私服で登校しなくてはいけない。家庭の経済状況によって、どんな服を何着買えるかが違ってくる。毎日同じ服を着ていたり、ボロボロの服を着続けたりする生徒がいれば、貧富の差が見えてしまう。

だから制服を着させて、見た目をそろえることで、服装による個人差が生まれるのを防ぐ。さらに、見た目で差別されたり、いじめられたりすることも予防しているのだ。

もう一つは、教師の指導が楽になることだ。

多くの生徒がいる中で、教師によって指導する内容に差が出ると混乱をきたす。「あの子はいいと言われた」とか「毎回言われることが違う」とか、指導内容が一貫しないと、生徒から不信感をもたれる。不信感をもった生徒は、教師の指導に従わなくなり、学級崩壊、学校崩壊を引き起こしてしまう。

だから指導に差が出ないように、同じ基準にそろえることが必要だ。さらに、「みんなが守っているから、あなたも守りなさい」という理由が使えることで、指導力のない教師でも指導ができる。学級崩壊を防ぐことにも効果を発揮するのだ。

このように、見た目をそろえるメリットは確かにある。**しかし、この「見た目をそろえる指導」は限界を迎えている。**今まで学校現場で隠されてきた負の部分が、ニュースで取り上げられて問題視されるようになってきた。

有名な事例として、「生徒への黒染め強要」や「女子生徒の下着チェック」がある。

どちらも子どもの人権を無視した、行き過ぎた指導として批判された。本来は差別を防ぐ手段として、見た目をそろえたはずだ。しかし、いつの間にか見た目をそろえること自体が目的になり、地毛を黒く染めさせたり、下着の色をチェックしたり、人権を侵害するような指導が常習化されていた。「周りとそろっていない方がおかしい」と当たり前に言われる。これでは、反発する生徒がいて当然だ。

多様な人種、価値観を受け入れて、協働的に働く力が求められる現代で、学校が画一的な見た目を押しつけるのは時代に逆行している。そろえなくていい。**学校で指導すべきは、見た目の違いで人を差別しないことであり、その場に応じた身だしなみを考えること**。見た目がそろっていることの美しさなど、大人の自己満足でしかないのだ。

One Point

教師だって普段の服装と、授業参観の服装、卒業式の服装と使い分けている。生徒にも同じように、TPOで使い分ける指導をすればいい。選択するのは子どもと親だ。

華美なデザインって何？

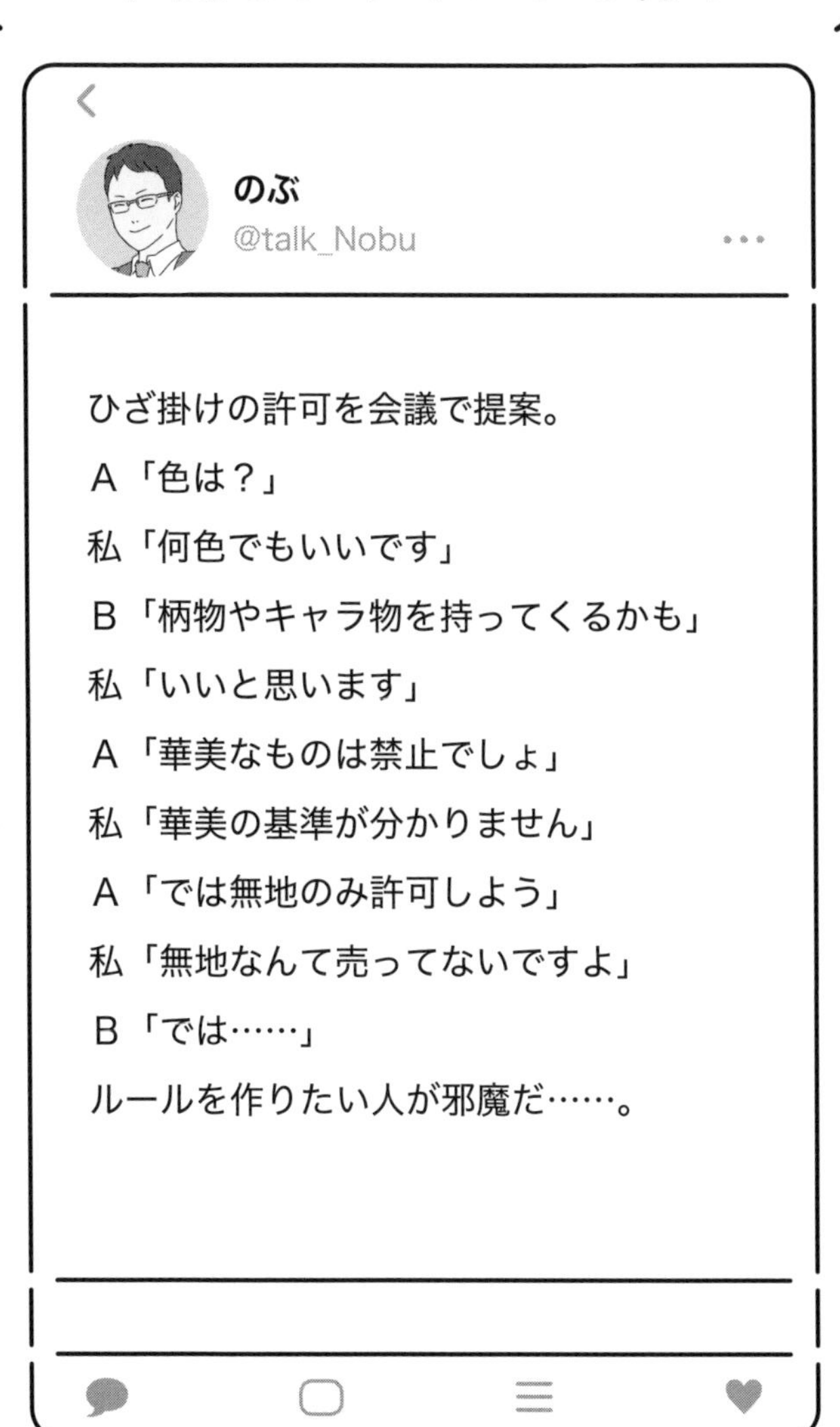

のぶ

@talk_Nobu

ひざ掛けの許可を会議で提案。

A「色は？」

私「何色でもいいです」

B「柄物やキャラ物を持ってくるかも」

私「いいと思います」

A「華美なものは禁止でしょ」

私「華美の基準が分かりません」

A「では無地のみ許可しよう」

私「無地なんて売ってないですよ」

B「では……」

ルールを作りたい人が邪魔だ……。

学校は「華美なデザイン」が嫌いだ。髪ゴムや下着、靴下など、色を決める場合は「黒、紺、茶、グレー、白」に限定されている。デザインは無地。極力目立たないものを選ばせる。私が勤めてきた学校でも、この考えは根強かった。

学校が考える「華美なデザイン」とは何か？

私は職員会議で「華美なデザイン」について議論した経験がある。冬のひざ掛けを許可しようと提案したとき、ひざ掛けのデザインが論点になった。学校に持ってくるのにふさわしい柄を決めたかったらしい。案の定「華美なデザインのものは禁止した方がいい」という意見が出たので、具体的な例を聞いてみた。

まずは色。派手な色はダメらしい。派手な色とは濃いピンクとか、蛍光色とか。次に柄。キャラものはダメ。ヒョウ柄とか、ゼブラ柄、ラメ入りなど派手な柄もダメ。水玉やストライプはものによるらしい。

このように、「華美なデザイン」へのこだわり、基準は、教師によって様々だ。**指導する人によって、基準が変わるルールなんて絵に描いた餅だ。徹底できないなら、**

ない方がいい。

禁止したい「華美なデザイン」が定義できない以上、許可するデザインを決める方向で話を進めるしかない。すると、前述したように色は「黒、紺、茶、グレー、白」など。柄は「無地」と指導が楽になる極めてシンプルなルールで落ち着く。これがよく見かける、色指定の校則が生まれる流れである。

しかし、**仮にシンプルだとしても、必要ないルールはなくした方がいい。**保護者や生徒にとって、わざわざ学校から指定されたデザインのひざ掛けを買い直す労力が無駄だ。お金もかかってしまう。校則を徹底する教師側にも負担が大きい。

そこで「ルールを作る目的」を再度話し合った。何のためにデザインを指定するのか、指定しなくてはいけない理由があるのかを、聞いてみた。

すると「高いものを持ってきて、紛失があったら困る」という意見が多かった。それなら、高いものを持ってこないように話をすればいい。そもそも窃盗（せっとう）は犯罪だと指導する方が重要だ。「華美なデザイン」を禁止する理由には到底なりえない。

結論、ひざ掛けのデザインには、特にルールを設けないことに決まった。話し合うことで、ひざ掛けのデザインを指定する大変さと無意味さが伝わったようだ。

派手な色や柄を見ると、不良生徒と結び付けてしまう教師も多い。不安をなくすために地味な色や柄に指定することが、学校の慣習になっているようにも思う。**しかし、色や柄を指定することで、指導が楽になると思ったら勘違いだ。**本当に楽なのは、デザインにこだわらないこと。**ルールがあれば指導する労力がいる。**それに見合う理由があれば別だが、華美を禁止する必要はない。

One Point

学校が持ち物の色や柄を指定すると、保護者に指定の製品を購入する負担がかかることを忘れてはいけない。

なぜ理不尽な校則は変わらないのか？

なぜ校則をなくしたいかと言うと、子どもの人権を守るとかもあるけど、一番は「髪ゴムは黒か茶色だけだぞー」とか自分でも理由が説明できない指導を繰り返すのがストレスだから。反発する子どもや、それを抑える大人の労力もムダ。自分の思考レベルが下がっていく気がして嫌です。

学校には、時代にそぐわない校則が多数存在する。髪形の指定や、下着の色の指定など、行き過ぎた校則がニュースで取り上げられているにもかかわらず、**なぜ校則は変わらないのだろうか。**理由は大きく二つある。

一つは「学校の校則を変える方法」を知らないからだ。生徒や保護者はもちろん、教員ですら校則を変える方法を知らない。誰が、いつ、どんな手順で検討を進めていけばよいのか分からない。だから、仮に校則がおかしいと感じても、何となく前年度の踏襲（とうしゅう）で変わることがない。

では、どのような手順を踏めば、校則を変えることができるのか？

一番早いのは、校長が「変える」と言うことだ。校則を制定する権限は、学校運営の責任者である校長にある。校長がトップダウンで指示を出せば、変わるものなのだ。しかし、校長が校則の内容に直接口を出すことは少ない。教員の意見を反映させるため、基本は職員会議で議論される。そこで、職員会議に校則を変えると議題を上げる必要がある。

具体的な流れを紹介したい。まず校則を変える議論は、各学年の生徒指導担当が集まる「生徒指導会議」で話し合われる。校則の話題が出る時期は十一月から十二月ごろである。一月ごろに行われる進学説明会で、新入生とその保護者に対して服装や持ち物の校則を説明するからだ。

一度保護者に伝えたら、混乱を防ぐために途中でルールを変えることはまずない。逆算すると、**四月から校則を変えるためには、十月ごろから動き出す必要がある**。このスケジュール感は生徒指導担当の経験がないと分からないし、生徒指導担当でないと議論に参加することすら難しいのだ。

校則が変わらないもう一つの理由は、「校則を変えたくない教師」の存在だ。

彼らは、校則が変わることで学校が荒れることを心配している。校則を変えたり、減らしたりすることは、生徒の自由を増やすことと同じだ。自由になった生徒は教師が予想もしない行動を取るので、管理することが難しくなり、学校が荒れると考えているのだ。

この反対意見は厄介だ。現状を維持する方が、教師にとってリスクがない。また発言力のあるベテラン勢が反対派に回りやすいので、校則を変える際の大きな障壁となる。**反対派を退けるには、事前の根回しが必要だ。**

一番は、生徒や保護者の意見を集めておくこと。生徒の多くが希望しているという証言も貴重だが、特に保護者の要望が多ければ、無視することができなくなる。校則を変えることの大義名分を得ておくのだ。**校則を変える流れに生徒を巻き込むことで、校則が変わった後も生徒に協力してもらえる。**学校が荒れる心配を軽減させるためにも、一方的に校則を押しつけるのではなく、生徒と教師が協力して話を進めることが大切なのだ。

One Point

校則は変えられる。そのためには、職員会議の時期を把握して、教師、生徒、保護者で味方を増やし、計画的に働きかける必要がある。

融通が利かないルール

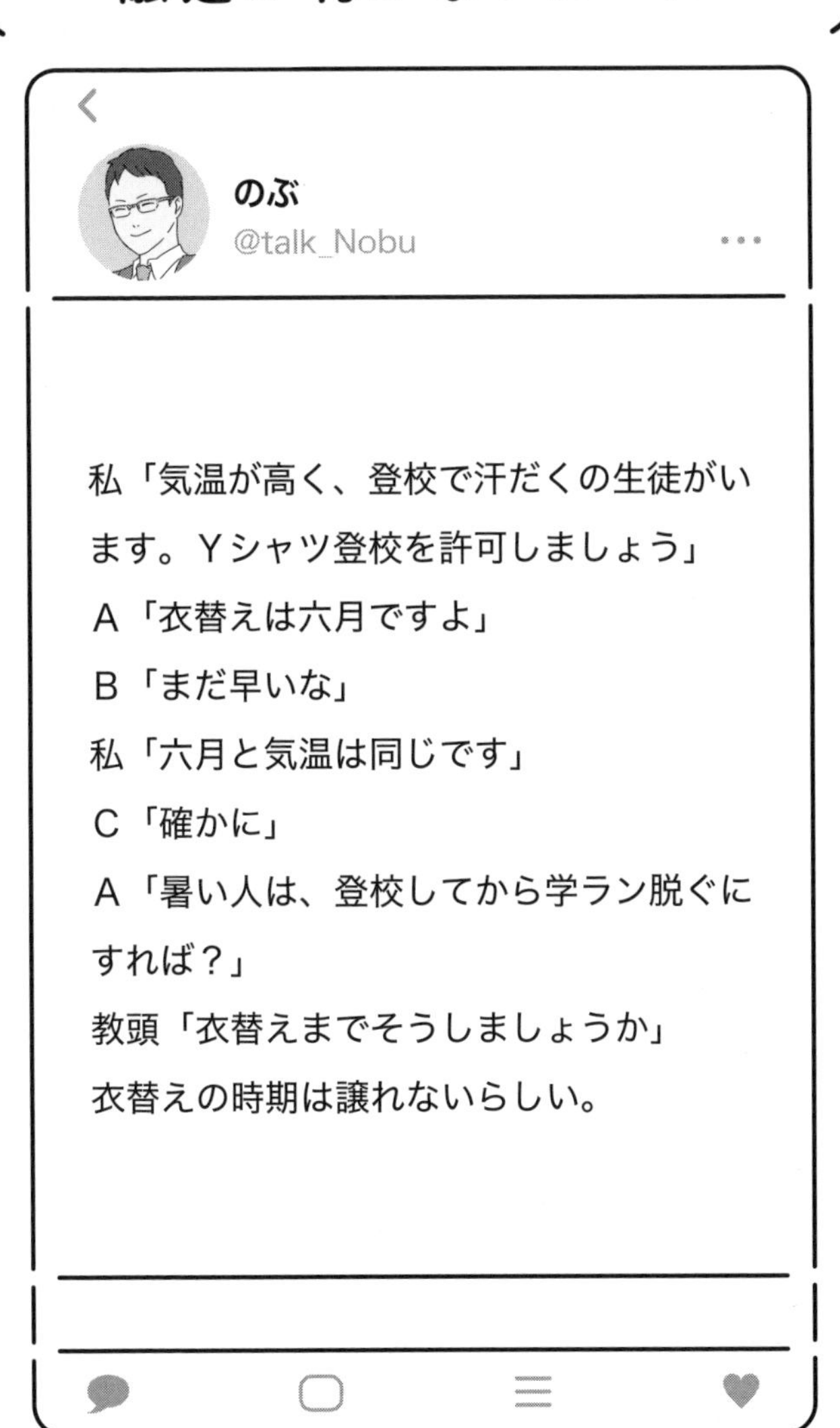

のぶ
@talk_Nobu
私「気温が高く、登校で汗だくの生徒がいます。Ｙシャツ登校を許可しましょう」
Ａ「衣替えは六月ですよ」
Ｂ「まだ早いな」
私「六月と気温は同じです」
Ｃ「確かに」
Ａ「暑い人は、登校してから学ラン脱ぐにすれば？」
教頭「衣替えまでそうしましょうか」
衣替えの時期は譲れないらしい。

全ての校則には作られた「目的」があるはずだ。しかし、長い年月が経つにつれて、**作られた目的は風化し、校則を守らせることが「目的」に代わっているケースがある。**

例えば、全校一斉の衣替えだ。

学校は衣替えの時期を決めて、夏服と冬服を全校一斉に切り替えることが多い。衣替えとは、本来は季節の変わり目にその季節に合った衣服に着替える習慣だ。おおよその時期の目安を、学校で設定しておくこと自体は問題ない。

学校の衣替えの流れには、まず移行期間が設けられており、その間は夏服、冬服どちらを着てもよい。衣替え完全実施の日を過ぎると、全校一斉に夏服、冬服に切り替わる。学校によっては「服装検査」が行われて、正しい服装をしているかチェックして指導を徹底する。

しかし、衣替えの「目的」を考えれば、毎年同じ日に行うよりも、実際の気温の変化に合わせて柔軟に行うのが望ましいことは言うまでもない。**暑さ、寒さの感じ方には個人差があり、タイミングを全校で一斉にそろえることにも無理がある。**気温に合わせて、各自の判断で服装を選べばよいはずだ。

衣替えの時期を決めて、一斉に服装を切り替えるのは、「生徒の服装をそろえることで管理を楽にしたい」という教師側の意図も隠れている。建前は「季節に応じた服装を指導するため」と言われるが、結局は教師が、寒いのに半袖を着続ける生徒や、暑いのに長袖を脱がない生徒が気になるだけ。いずれにせよ、本来の「目的」からかけ離れている以上、見直すべきである。

自分の思うように指導したいから、校則を理由にしたいのだ。

他の例として、登校時の服装がある。

日本のほとんどの中学、高校には制服があり、登校時は制服を着てくるように指示される。校門で服装検査をする学校もあるだろう。制服があるなら、正しい着こなしで登校するよう指導をすることに反対はしない。ただ、制服登校も場合によっては柔軟に変更してもいいのではないか。例えば真夏の暑さ対策だ。

最近の夏の暑さは異常で、学ランを着て歩いて登校するだけで生徒は汗だくになっている。私のいた学校でも同様で、見かねて管理職に体操着登校の許可を求めたが、結果は制服登校を変えられなかった。理由は「登校時は制服を着るもの」と言われたが、納得はできない。

生徒は学校生活で正しく制服を着こなしている。それにもかかわらず、真夏に制服を着せて汗だくで登校させる意味はあるのか？　また、生徒が熱中症になったらどう責任を取るのか。引き続き管理職に訴えることで、何とか体操着登校の許可を得た。

校則を守らせる「目的」のために、生徒が無理して合わせるのはおかしい。生徒の安全・安心な学校生活を守る「手段」が校則のはずだ。「目的」と「手段」を逆にしてはいけない。

One Point

ルールを守らせることは、集団の規律を保つために大切なこと。ただし、ルールが作られた「目的」を考えて、融通を利かせることはもっと大切だ。

Column

内申点って何？

高校入試で話題にのぼる内申点。公立高校の一般入試では、当日の入学試験の点数と、中学校が作成する調査書の点数（内申点）の合計点で合否が決まる。だから受験生にとっては、内申点を上げておくことが重要とされている。

実はこの内申点の中身を誤解している保護者、生徒が多い。内申点は、受験する自治体によって内容に違いがあるし、年度によって変わることもある。内申点に何が含まれるのかは、事前に中学校へ確認してほしい。詳しくは都道府県の公立高等学校入試に関する要項にも載っている。ウェブで検索すれば確認できる（各図参照）。

絶対に内申点に含まれるのが、各教科の五段階評定だ。成績の一～五の数字が合計されて、自分の内申点に加算される。つまり、普段の授業の成績は入試に必ず関係する。ただし、自治体によっては「三年生の成績のみ得点に入る」「一～三年生の成績が得点に入る」「実技教科が二倍の得点になる」など違いがあるので注意が必要だ。

東京都立高校入試 学力検査に基づく選抜の例

調査書点の満点は、評定の満点を換算したもの。なお、評定の満点は、学力検査の教科が5教科の場合は65点、3教科の場合は75点となる。

調査書点の算出方法

各受検者の調査書点 ＝ 各受検者の評定の得点(※) × 調査書点の満点 / 評定の満点

※学力検査を実施する教科の評定を1倍、学力検査を実施しない教科の評定を2倍として算出したもの。

そして誤解が多いのが、部活動や学校生活の内容だ。保護者からは「部活動に入らないと内申点が下がる」「生徒会のリーダーになると内申点が上がる」と言われるが、公立高校の一般入試では、関係ないことが多い。

私立入試や、公立推薦入試などで「部活動の成果」が得点に入る場合がある。それも都道府県大会や全国大会での入賞など、結果が評価されることがほとんどだ。学校外のクラブ活動の結果でも評価される場合がある。無理して部活に入る必要はない。また、内申点を気にして学校を休ませない保護者がいるが、欠席日数と内申点は直接関係ない。数日なら無理せず休ませてほしい。皆勤賞も関係ないのだ。

不登校生徒も、公立高校なら配慮される。欠席日数で合否は決まらない。ただし、長い間休めば授業に遅れがでて、成績が下がった結果、内申点が下がることはある。私立は学校ごとに対応が違う。不安のある保護者は、受験する予定の学校の対応を中学校に確認してほしい。

青森県立高校入試特色化選抜の例（募集人員の20%）

① 各選抜資料の配点（合計550点）
(1) 学力検査　250点
（各教科の得点を50点満点に換算する）
(2) 調査書　200点
ア 教科の評定　135点
イ 特別活動　最大 15点
（学級活動5点、生徒会活動5点 学校行事5点）
ウ 部活動　最大 50点
（全国大会入賞40点、東北大会入賞30点、
県大会入賞20点、活動歴最大10点）
(3) 面接　100点

② 上記①を基に、調査書の記載内容を考慮しながら、求める生徒像に照らして、総合的に判断し選抜する。

Chapter 2

ブラックな学級経営をする教師

なぜ学校のブラックな指導は変わらないのか？

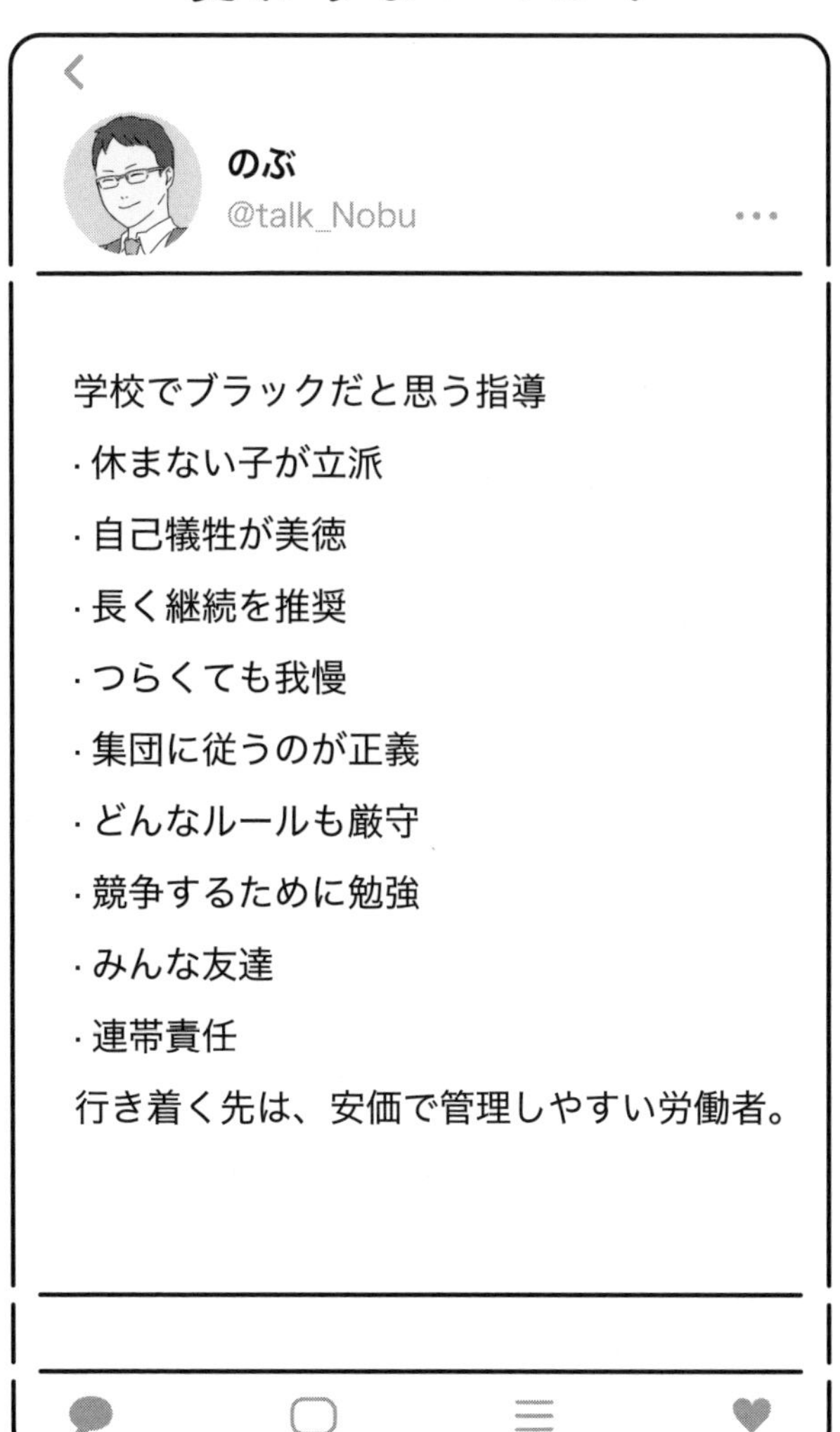

「学校で教えられる価値観が、昭和から変わっていなくて残念」。

私のツイートに多く寄せられるコメントだ。今の親世代が「私が学生時代に受けた指導だ！」「まだ同じことやっているの？　何時代？」と驚愕の声を上げる、古くてブラックな価値観に基づいた指導が、今も学校で続いている。

いくつか例を挙げてみる。

・休まない子が立派↓皆勤賞が表彰される。休むと入試に不利だと脅される。
・自己犠牲が美徳↓苦しくてもみんな頑張っているから、お前も我慢しろと言われる。
・長く継続を推奨↓部活など、一度始めたことは嫌でもやめることが許されない。
・つらくても我慢↓どんなにつらくなっても、逃げることを責められる。
・集団に従うのが正義↓見た目、行動でみんな一緒を求められる。同調圧力。
・どんなルールも厳守↓教師も理由が説明できない校則、決まりを守らせる。
・競争するために勉強↓テスト、入試が目的の一斉授業。
・みんな友達↓誰とでも仲良くすることを強いられる。
・連帯責任↓一人のミスで、全員が罰を受ける。子ども同士で互いに見張らせる。

ご自身の学生時代を思い出して、おかしいと感じていた指導はあるだろうか。

前述した内容が全て悪い指導だと言うつもりはない。ただ、どの指導も一長一短があり、全ての子どもに当てはまる適切な指導とは言えない。子どもの特性を見分けて使い分ける必要があるのだが、その**柔軟性を持ち合わせている教師が少ない**ように感じる。古くから学校にある文化や、「こうあるべき」という理想の子ども像から脱却できない人は、教師だけでなく保護者、地域の大人にも多い。

なぜ、どの学校でも同じような偏った指導が続いているのか。二つの理由が考えられる。

一つは、自分が過去に受けてきた指導や、自分の成功体験のみをもとに指導するからである。親世代が「私が学生時代にあった指導だ」と感じるのは当然で、今の学校で管理職や主任など中心的な役割を担っているのは、他でもない親と同世代の教員たちである。自分が受けてきた指導を、自分なりに実践して成功体験を積んできた人たちは、価値観を簡単に変えられない。

もう一つは、**管理する方にとって都合がいい指導だからである。**言われたことに疑問をもたない、指示通りに動く、つらい環境でも逃げない。聞いただけでも管理しやすいと分かる人間だ。多くの子どもを一斉に管理し、教育する必要があった学校と、従順に長く勤めてくれる人材がほしかった企業。昔は需要と供給が一致していたが、今は自ら考えて行動する人材が求められる中、学校の指導方針も変更を迫られている。

だからこの章では、今まで学校で当たり前とされていた価値観や指導方針の問題点を具体例を交えて明らかにし、今後の学校がブラックな指導から脱却するために必要な考え方を述べていきたい。

One Point

全ての子どもに当てはまる適切な指導はない。どんな指導法も一つの成功事例にとらわれず、子どもの特性を見分けて柔軟に使い分ける必要がある。

「みんな仲良し」は幻想

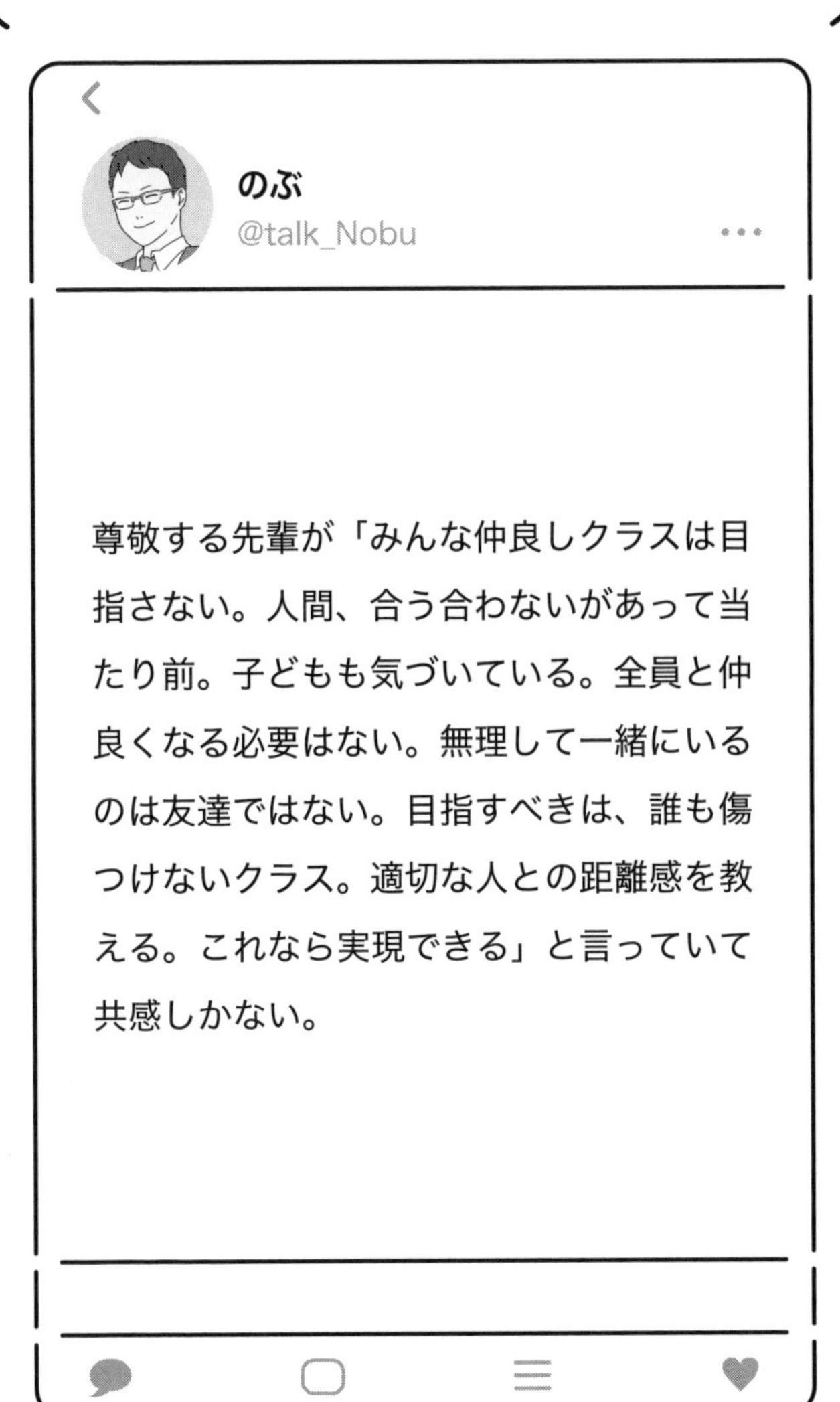

のぶ
@talk_Nobu
尊敬する先輩が「みんな仲良しクラスは目指さない。人間、合う合わないがあって当たり前。子どもも気づいている。全員と仲良くなる必要はない。無理して一緒にいるのは友達ではない。目指すべきは、誰も傷つけないクラス。適切な人との距離感を教える。これなら実現できる」と言っていて共感しかない。

「みんなが仲良しのクラス」という目標は、担任として立てやすい。仲間外れになる子や一人ぼっちになる子がいなくて、みんなが仲良く活動できるクラスは理想的で、全ての学級がそうであってほしいと思う。

ただ現実はそううまくいかない。年齢が上がるにつれて子どもたちの自我が発達し、価値観が合う子、合わない子が顕著になってくる。異性を意識するようにもなる。これはごく当たり前の成長で、特段気にする必要もないのだが、それでも「みんな仲良しクラス」を目指す担任がいるとトラブルが起こる。

例を二つ挙げる。

一つ目は、ケンカが絶えない子ども同士でも仲直りさせようとすることだ。

お互いに相性が悪く、一緒にいることでトラブルになる二人がいたとする。普段から距離を取らせておけばトラブルが防げるのに、みんな仲良しという目標があると実現できなくなる。問題が起こるたびに、教師は仲直りさせようと努力する。これは当事者の二人も、振り回される周りの子もストレスだ。

性格が合わないのは本人たちがよく分かっている。**合わない人との適切な距離感を教える方が、クラス内の人間関係を良好に保つことにつながるのだ。**

二つ目は、「一人で過ごすのが悪い」という空気が生まれることだ。

みんなが仲良くなるために「教室に一人でいる子をなくそう」「みんな一緒に外で遊ぼう」などのキャンペーン活動をやる担任がいる。これは遊びの輪に入りたいけど、入れないで悩んでいる子に対する手立てとしては正しい。ただ、一人でゆっくり過ごしたい子には迷惑だ。**一人でいることはダメ、みんなと遊ぶのはいい。こんな価値観が集団にできて、一人でいることが悪いと思われてしまう**。すると一人にならないように、グループ意識が強くなったり、一人でいる子がいじめの対象になったりする危険性が出てくる。


みんなが仲良く過ごしている様子だけにとらわれると失敗する。**個々の子どもが自分らしく過ごせる環境が最優先なのだ**。


「みんな仲良しクラス」が危ういとしたら、どんなクラスを目指せばよいのか。

私は「誰も傷つけないクラス」がいいと考えている。

学級づくりがうまい担任は、子どもの人間関係をうまく交通整理している。気が合う子、合わない子をよく理解し、ぶつかりそうな場合は適切な距離感を教える。みんなで遊ぶのが好きな子、一人で過ごすのが好きな子、いろいろな価値観をもった人がいると伝える。それを四月〜六月ごろまでトラブルが起こるたびに継続して指導・助言することで、人間関係の交通整理をするのだ。

もめごとが起きたら、まず生徒から事情を聞いて、今後どうしたらトラブルを避けられるのかを一緒に考える。その中で、相手との関わり方を助言する。遊ぶグループを変えることや、授業以外ではあまり関わらないことを提案する。

子どもたちがお互いの特性を理解して、関わり方が分かれば、その後はみんなが自分らしく、傷つけ合うことなく、安心して過ごせるクラスに変化を遂げる。互いの存在を否定しない環境は、いじめを防ぐことにもつながる。**みんなを仲良しにしなくても、温かい雰囲気のクラスは作れるのだ。**

One Point

みんな仲良しクラスは目指さない。目指すべきは、誰も傷つけないクラス。適切な人との距離感を教える。これなら実現できる。

「みんな一緒」の弊害

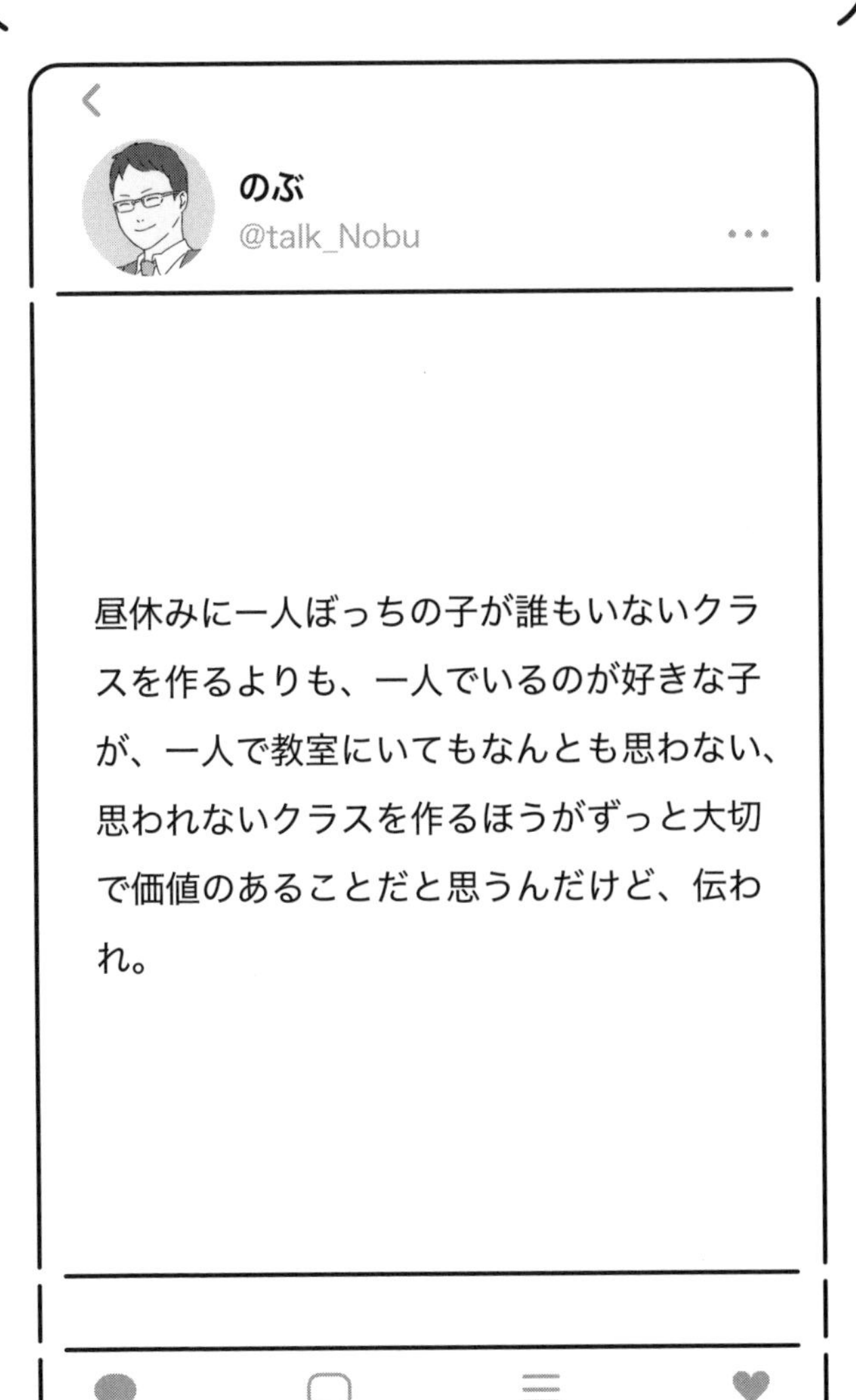

のぶ
@talk_Nobu
昼休みに一人ぼっちの子が誰もいないクラスを作るよりも、一人でいるのが好きな子が、一人で教室にいてもなんとも思わない、思われないクラスを作るほうがずっと大切で価値のあることだと思うんだけど、伝われ。

子どもたちが集団生活で学ぶ意義は大きい。

学校で集団生活を送ることで、コミュニケーション能力などの協調性を身に付けられる。集団の中で自分はどのように立ち振る舞えばよいのか、どうすれば自分の能力を最大限発揮できるのかなど、将来職場のチームで働く上で大切なスキルが学べる。

ただし、これらを学ぶ意義を最大化するには、集団の中に個性を大切にし、尊重する文化が必要である。一つの集団の中に考え方や文化の違いがあってこそ、コミュニケーションの重要性が分かるのだ。

しかし、**日本の学校は個性や違いを嫌う傾向にある。**学校生活にはたくさんの規則があって、**見た目、行動、勉強内容、勉強時間まで、みんな一緒を求められる。**「集団に合わせる」ことが、集団生活で学ぶべき価値だと言わんばかりだ。この考えには真っ向から反対したい。

みんな一緒を求めることの大きな弊害が二つある。

一つは、**教師の意識が「集団に合わない個性をどうなくすか」に向かうことだ。**

みんな一緒を実現するには、集団をそろえるための基準が必要となる。教師によって指導に差が出ないように、統一した基準が作られる。そして、基準が作られると集団を統一することが目的となり、教師の意識は「集団に合わない個性をどうなくすか」に向かうのだ。

その最たる例が「校則」である。先にも述べたように、校則はルールの意味よりも、集団を統一することが目的になっている。みんなが同じ見た目にそろうように、膨大な労力をかけて指導する。子どもは自分の個性よりも、周りに合わせることを優先するようになり、自己主張が苦手になる。それにもかかわらず、社会に出ると「自分で考えてやりたいことをやれ」と言われるから無茶苦茶だ。**何でもかんでも統一して、個性を潰す教育に未来はない。**

もう一つは、**集団に合わせられない子が排除される**ことだ。

「空気が読めない子」と言われる、集団に合わせるのが苦手な子がいる。私はこの「空気が読めない」という言葉が嫌いだ。理由は、この**「空気」とは集団の中でも一部の影響力がある人間、もしくは多数派のグループが作り出したものであり、読むほどの価値がないから**である。

例えば、学級でレクリエーションの内容を話し合うとする。内容が多数決で鬼ごっこに決まったら、当然鬼ごっこをやりたい子たちは全力で楽しむ。だが、走るのが苦手な子は参加こそするけど、心から楽しめないかもしれない。それなのに多数派からは「あいつはノリが悪い」「空気が読めないやつだ」と言われてしまう。それがいじめの原因にもなる。

「みんな一緒」を教師が強く訴えれば訴えるほど、周りに合わせるのが苦手な子を排除する空気が教室に充満していくのだ。

One Point

集団生活で学ばせたいことは、空気を読んで嫌なことを我慢する力ではなく、自分の気持ちを相手にうまく伝える力である。

休まない子が立派なのか？

「一度学校を休ませると、休むことがクセになる」と心配する声をよく聞きますが、クセになるんじゃなくて「苦しいときは休む」という選択肢が増えて安定するんです。むしろ「休まずに無理して心が折れると、立ち直るのに数年かかる」ことを知ってほしい。たまに理由なく休んだって心配いりません。

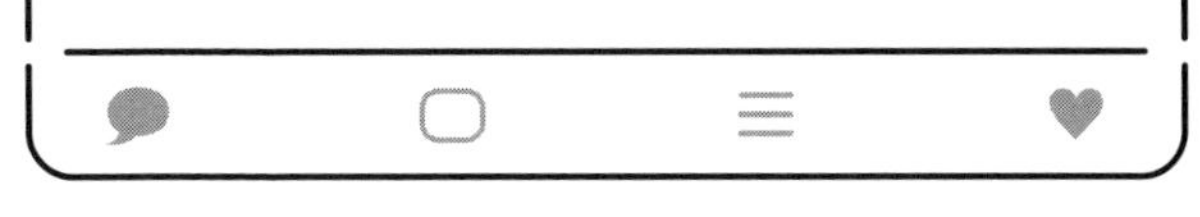

日本は世界と比較して、会社員の有給休暇の取得日数が少ない。厚生労働省の調査によると、休みにくい最多の理由は「みんなに迷惑がかかると感じるから」。自分が休んだら誰かに負担がいってしまう。お互いに気を遣って休めない。みんなが休めればお互い様だと思うのだが、休みにくい空気が漂っている。

この原因とまでは断言できないが、「休まない子が立派」という文化は学校生活で培（つちか）われる。欠席日数が高校入試に関係したり、休むと授業に付いていけなくなったりする。皆勤賞が表彰され、休まない子が先生から認められると、休みにくい雰囲気ができる。

確かに、休まずに頑張っている子は立派だと思う。でも、それと比較して休んだ子が悪いとか、不利になることは間違っている。**休みにくい雰囲気が助長されて、子どもを追い込んでしまう危険がある。**

例えば、悩みごとを抱えている子が、思い切って親に「今日は休みたい」と伝えたとする。聞いた親は驚くだろうが、頭の中に「学校を休むと不利になる」という意識があると「もう少し頑張ってみたら」と説得してしまう。勇気を振り絞って相談したのに、休ませてもらえなかった子どもは、逃げ道をなくす。

実際に同じような例で、一時的に不登校になったり、いじめの発覚が遅れたりすることがあった。休みにくい雰囲気が子どもと親の余裕を奪い、子どものヘルプのサインを見逃すことにつながる。**子どもも親も休みやすい環境があれば、話を聞いてあげる余裕が生まれるのではないだろうか。**


そのためには、休むことに対して、学校側のスタンスを変えることが重要である。まず、**皆勤賞なんて必要ない**。むしろ大人と同じように、年五日ほど自由に取れる休暇があってもいい。自分で休むタイミングを考えられることも大切な力だ。休む理由だって、体調不良である必要はない。家族旅行で休む子がいてもいい。平日にしか親が休めない家庭もあるのだから、周りがとやかく言うのもおかしい。

次に入試への影響の度合いは、自治体や受ける学校によって違う。私立の入試や推薦入試の場合には、欠席日数が影響することも多いが、年数日休んでも影響がない場合がほとんどである。詳しいことは、各校の募集要項に書いてある。不安に思う親を減らすために、学校が正しい知識を伝えるべきだ。

最後に授業について述べる。学校の授業はみんなで同じ内容を同じ時間に学ぶので、一日休めば授業が先に進んで、周りと差が生まれてしまう。これが休みにくい理由になっていた。ただ、今はタブレット端末が一人一台配られ、授業の様子をデータで残せるようになった。学習ドリルや動画で後から学び直すこともできる。無料のコンテンツも多くウェブ上にある。休んだ日の授業を補う方法がいくらでもあるので、昔よりも休んだ子への支援ができるはずだ。

休むことは、心身の健康に大切な時間だ。**「休まずに無理して心が折れると、立ち直るのに数年かかる」ことは忘れないでほしい。**

One Point

「苦しいときは休んでいい」という選択肢があるだけで、安心できる子がいる。大人が子どもから「休む」という選択肢を奪ってはいけない。

何のために勉強するのか？

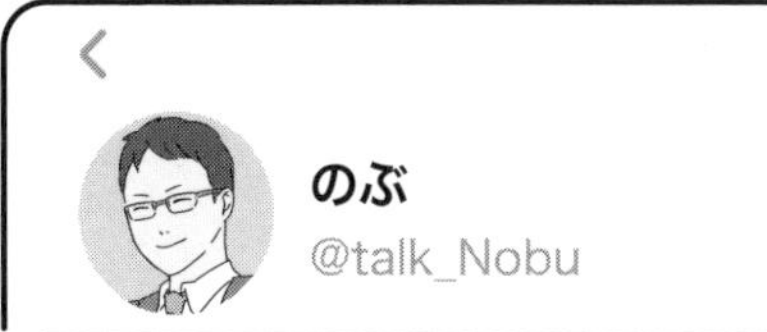

成長するには、勉強が絶対必要。でもテストで点数を取ることが、勉強の目的になるのは危険だ。テストが苦手な子は自信を失う。社会に出たら、テストで評価されない。学校の勉強が全てではない。結果よりも、勉強する過程、努力を認めてほしい。自信を失わなければ、将来成長するために勉強できる。

「勉強って何のためにするの？」「やる意味あるの？」。

教師をやっていると何度も聞かれる質問だ。保護者も自分の子から聞かれて、答えに困った経験があるだろう。

よく使われる答えに「将来の選択肢を増やすため」というものがある。この考えには私も同意だ。新しい知識や技能を身に付けたり、新しい経験をしたりすると、視野を広げられ、選択肢が増える。勉強とは自分の成長のためにするものだ。


しかし、特に中学校、高校になると、勉強の目的が「テストで高い点数を取るため」「良い成績を取るため」に変わってしまう。

これは入試の影響が大きい。定期テストや成績（内申点）など、点数で周りと比較されることが当たり前になる。テストでいい点数が取れれば、受験できる学校が増える。だから勉強の目的が「将来の選択肢を増やす」＝「テストで高い点数を取る」に変わっていく。

点数や成績にこだわることが悪いとは言えない。頑張りが数値化されるので、勉強のモチベーションを高められる子もいる。

一方で、学校現場で感じる大きな問題点が二つある。

一つは、**親や教師が内申点を使って子どもをコントロールする危険性だ。**

中学校一年生の担任をすると、生徒から「中学校は内申点があるから、先生の言うことを聞かないと成績が悪くなると、親から言われました」とよく言われる。親の「勉強を頑張ってほしい」という思いは分かるが、**これでは内申点を使って子どもを脅しているだけだ。**テストの点数が悪いと怒る親もいる。「勉強しろと言われると、勉強したくなくなる」というのも、本心から言っているのだろう。

また、教師の中にも自分のつまらない授業を棚に上げて、内申点で生徒を脅す人がいる。授業態度が悪いから減点するとか、提出物のできが悪いとか。自分の授業を工夫する努力もしないで、生徒に強く当たる教師を見るとあきれてしまう。授業が教師の本来の仕事である。勉強が苦手な生徒にも、授業は楽しいと言わせたい。

もう一つは、**テストが苦手な生徒が評価されにくいことだ。**

テストで点数が取れない生徒が「自分は頭が悪い」と自信を失っていく様子を見るとつらくなる。勉強が「将来の選択肢を増やすため」なら、テストで測れる能力なんてごく一部にすぎない。テストが苦手でも、人間関係づくりがうまい子や、行動力・実行力があるリーダータイプ、芸術的なセンスがある子や、一つの分野に秀でている子など、社会に出てから活躍できる力をもっている生徒は多い。

確かに入試は大きなイベントで、子どもの成績が気になるのも分かる。それでも周りの大人がテストの点数に一喜一憂することなく、広い視野で子どもの長所を認めてあげれば、子どもは自信を保てる。**自信は努力する力に変えられるのだ。**

One Point

内申点を使って脅しても、子どもは勉強嫌いになるだけ。テストに表れないその子の良さを評価してあげることは、身近な大人にしかできない重要な役割だ。

見せしめのような指導

体力テスト、シャトルランは地獄だ。人前で運動能力を比較されるし、できない自分を突きつけられる。そして最後のアンケートで「運動は好きですか？」「体育は好きですか？」と質問して、結果が悪いと「運動嫌いを減らす取り組みが必要だ！」と体育科が焦っている。一番の原因は体力テストでは？　と思った。

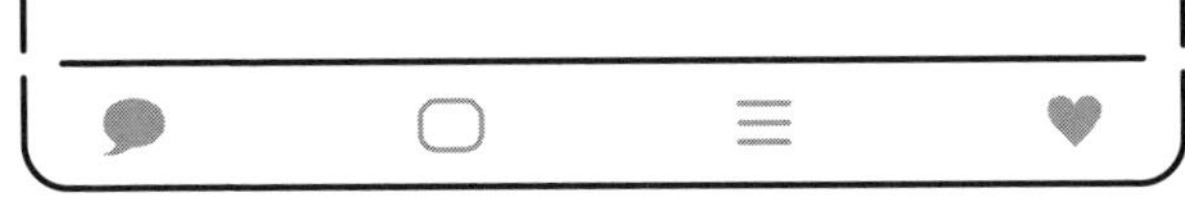

勉強が苦手な子や運動が苦手な子、音楽が苦手な子がいる。人間だから、それぞれできないことがある。

そんなときに「あなたはこれができないからダメ」と言うだけなら誰でもできる。しかし、これは絶対に教師がやってはいけないことだ。教師の仕事は、どう克服するのか方法を示し、励まし続けることである。それにもかかわらず、**学校で日常的に行われている見せしめのような指導が、子どものやる気を奪う。**

二つの例を紹介したい。

一つ目は、体育の授業だ。

体育は教科の特性上、跳び箱を順番に跳んだり、一斉にマラソンをしたり、バレーボールの試合をやったりと、周りが注目する中で実技をすることが多い。運動が得意な子は注目されるチャンスだし、周りの目も気にしていない。でも運動が苦手な子にとっては、教師の指示次第で見せしめにされてしまう。

例えば、跳び箱を跳べない子を集めて前でやらせてみたり、最後まで練習させたりすることがある。教師は良かれと思って個別指導するのだろうが、苦手な子からすると恥ずかしくて苦痛な時間だ。当然、感じ方には個人差や学級の雰囲気もあるだろうが、苦痛と感じる可能性がある以上、わざわざ全体が注目する状況でやらせる指導は適切ではない。

他にも、**マラソン大会の順位づけは必要ない**。全員を一斉に走らせて、一番からビリまで順位をつけることに意味があるのだろうか。評価ならタイムを計るだけでもつけられる。それなのに走ることが苦手な子を競わせて、ビリになる経験をさせると、運動そのものを嫌いになってしまう危険がある。体育で育てたいのは、順位を上げるために頑張る競争心ではなく、大人になっても健康維持のために運動しようとする意欲のはずだ。**運動嫌いを生んでしまう体育授業のやり方は、本末転倒である**。

二つ目は、忘れ物などのチェック表だ。

学級担任は日ごろから提出物や宿題、持ち物など様々なチェック作業に追われている。中には、教室にチェック表を貼り出して、全員から見えるようにしている教師もいる。さらに忘れ物が多い子の名前を書きだしている場合もあり、「この子は忘れ物が多いダメな子」と言わんばかりである。

確かに提出物が出せない子は指導する必要があるが、**チェック表や名前を貼り出すのはただの見せしめでしかない**。貼り出された子も最初こそ気にするかもしれないが、次第に効果はなくなる。それでもしつこく注意だけする担任は、子どもとの関係が悪化して学級崩壊につながるケースも見てきた。

必要な指導はしなくてはいけないが、子どもと衝突して関係が壊れては意味がない。**相手をさらすようなやり方は、教師が使ってはいけない悪手なのだ**。

人を動かすには、やる気にさせるしかない。そして、**子どもをやる気にさせるためには、一緒に克服していこうと励まし続けることが原則である**。

One Point

できない子を「何とかしないといけない」と考えるのは大切だ。できない子への優しさを忘れず、それぞれの子どもに応じて手立てを変えなくてはいけない。

宿題はただの残業

前の職場の校長、夏休み終了前の職員会議で
「明後日から生徒が登校してきます。一つだけお願いです。宿題を出せない生徒を責めないで下さい。先生方が怒る気持ちも理解できます。でも、提出する日を約束したら許してあげてほしいです。初日は元気に来てくれただけで十分としませんか」
とても神だった。

突然だが私は学生時代、宿題が嫌いだった。

理由は、宿題をする意味が理解できなかったからだ。

授業を聞いていれば理解できる内容が宿題になる。解ける問題を繰り返しやる、ノルマのように出される宿題はただ苦痛な作業だった。**今、大人になって思うのは、「宿題は理不尽に押しつけられる残業」**と同じということである。


私は授業で宿題を出さなかった。ただ宿題が嫌いだからではない。宿題が必要ないと考える理由を二つ述べたい。

一つ目は、**宿題が勉強嫌いを生む原因になるからだ。**

「家庭学習の習慣をつける」という目的で、毎日宿題を出す学校は多い。でもそれだけで生徒は宿題をやってこない。全員に宿題をやらせるためには、先生のチェックとペナルティーが必要だ。

毎朝、先生が宿題をチェックして、出していない子、不十分な子に指導する。罰として昼休みに勉強させる。それでも改善しなければ、保護者に連絡する。子どもは学校から帰っても、親から宿題をするように怒られる。

しつこく指導し続ければ、確かに子どもは宿題を提出するかもしれない。しかし、これでは「家庭学習の習慣がついた」と言えない。怒られないために、宿題という作業をこなすだけである。子どもは勉強が苦痛になり、勉強嫌いが量産される。おそらく、学校を卒業して宿題がなくなった途端、勉強しない子に逆戻りだろう。「日本は社会人が先進国で一番学ばない国」と言われるのも納得である。

二つ目は、**宿題を出す効果が薄いからだ。**

子どもに学力差がある以上、同じ内容の宿題を出すことには意味がない。授業で学習内容が完ぺきに理解できた子に、宿題はいらない。では、理解できない部分がある子には宿題が必要かというと、そうとも言えない。**なぜなら、授業で分からなかった内容を、自力で解決するのは難しいからだ。**

そもそも自力で調べて、解決できるなら授業中に理解できる。勉強が分からない子は、誰かの助けが必要なのだ。それが親なのか、兄弟なのか、お金を払って塾に行かせるのか、家庭環境によって差が出てしまう。頼る人がいない子もいる。

さらに言うと、**学校が勝手に宿題を出して、親が勉強の面倒を見るのが当然のよう**

に言うのもおかしい。家庭の時間の使い方は、別の習い事をするなど親子が自由に決めていいはずだ。教師は宿題でなく、授業で個々に応じた理解度を達成できるように工夫すべきである。その方が教師も宿題を考えたり集めたりする手間が減って、本来の仕事である授業づくりに時間を使うことができるのだ。

宿題の出し方は、教師によって様々だ。小学校や中学校、高校の間でも宿題に対する考え方が違う。宿題が全て悪だとは言わない。子どもに目標をもたせ、自分で宿題の量や内容を考えさせるなど、学習意欲を高める工夫を実践する先生もいる。それでも、宿題は強要されるものであってはいけない。

One Point

「子どもが家で全く勉強しない」という悩みはほとんどの親から相談される。逆にそれだけ普通のことだ。学校の授業を頑張っているなら、まずは十分なのだ。

Column

本当の公平とは？

学校はみんなで一緒に、同じ時間で同じ内容を、同じ手段で学ぶ「平等」な支援を大事にしてきた。同じ教科書を同じ進度で、一斉に学ぶ従来の授業スタイルは、一見すると誰に対しても「平等」な学習機会を与えているように思える。

しかし、全員に同じ内容の授業をするためには、授業レベルをどの学力層に合わせるのかが問題になる。学年が上がるにつれて学習内容は難しくなり、子どもの学力差が大きく現れる。中学校にもなると、塾で予習が進んでいる生徒が増えて、教科書の進度はバラバラだ。全員に合わせた授業レベルを決めるのは不可能である。

結果として、授業についてこられない「落ちこぼれ」や、授業が簡単すぎてつまらない「浮きこぼれ」を生んでいた。

ここで教育の目的に戻って考えたい。教育とは、人を育て、個々の力を伸ばすことが目的である。そう考えると、発達に個人差がある以上、全員に「平等」な支援をするのは不適切だ。個々の力を伸ばすという目的を達成するために、各々に応じた「公平」な支援をするべきである。

この「平等」と「公平」な支援の違いを、二つの図で表した。

学校は平等な手段にこだわりすぎている。全員に同じ内容、量の宿題を出す教師が顕著な

同じ台(平等)

それぞれにあった台(公平)

例だ。そんなものは、子どもを伸ばす目的を達成する手段の一つでしかない。何をどう使うかは、子どもに合わせて決めたらいいのだ。

また、これまで常識とされてきた考えやルールが、子どもにとって余計な障害になっている場合がある。例えば「授業中はイスに座っているべき」という考えだ。固いイスに座るのが苦痛な子、立ったり歩いたりした方が集中できる子がいる。もし今までの常識が子どもの学びを阻害しているなら、学習環境を見直す必要もある。特別支援教育で大事にされている、ユニバーサルデザインの考え方だ。

上の図でいうと、目の前の壁が一番の障害だった。それならそれぞれにあった台を与えるか、壁を金網やガラスに替えて、見えるようにすればいい。そうすれば誰の手も借りることなく、子どもは自分の力で行動できる。何より学校に必要なのは、「環境を変える」発想なのだ。

Chapter 3

部活で暴走する教師

過熱するブラック部活動

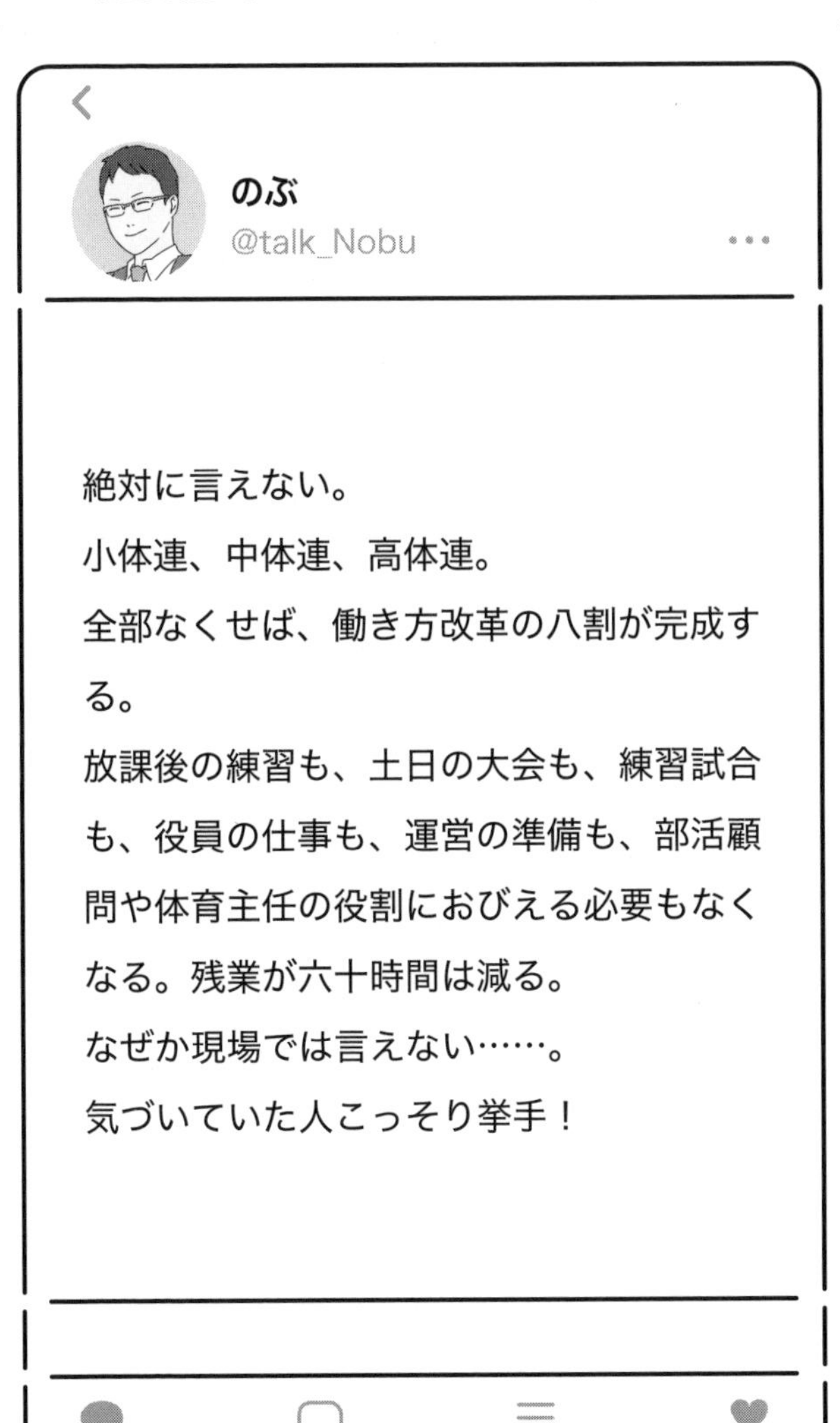

のぶ
@talk_Nobu
絶対に言えない。

小体連、中体連、高体連。

全部なくせば、働き方改革の八割が完成する。

放課後の練習も、土日の大会も、練習試合も、役員の仕事も、運営の準備も、部活顧問や体育主任の役割におびえる必要もなくなる。残業が六十時間は減る。

なぜか現場では言えない……。

気づいていた人こっそり挙手！

中学、高校教員の働き方改革と切り離せないのが部活動問題だ。私も部活動顧問として土日もなく働いていたときには、**毎月の超過勤務時間が百時間を軽く超えていた**。

生徒に部活動の全員加入制度を取っている学校がある。全員が何かしらの部活動に所属し休みなく練習させられるのだから、ついていけなかったり、体調を崩したりする子が出てくる。部活動がブラックと言われる理由だ。

この過熱する部活動問題に、国もいくつかの対策を打ち出してきた。

まずは、平成三十年にスポーツ庁・文化庁から出された部活動のガイドラインがある。ここでは、部活動の休養日及び活動時間について、スポーツ医・科学の観点から全国統一の基準が設けられている。

まとめると、「週当たり二日以上の休養日を設けること。一日の活動時間は、長くとも平日では二時間程度、学校の休業日は三時間程度。長期休業中には、ある程度長期の休養期間（オフシーズン）を設けること」。このように具体的な基準を示すことで、部活動の適切な運用を図ろうとした。

このとき、私のいた自治体で猛反対したのが、中学校体育連盟や中学校吹奏楽連盟など、各競技をまとめている連盟の中心人物たちだった。この連盟は、全国大会や都道府県大会などを開催している団体だ。学校外の組織ながら構成員は教職員であり、学校に対して大きな影響力をもっている。

この部活動に熱心な顧問たちは、ガイドラインを無視した。長時間練習や土日練習をさせたり、保護者会の自主練習という体裁で抜け道を作ったり、今まで通りの部活動を続けた。**口では「練習をしたい子どものために」と言っているが、完全に教師のエゴである。**結局は、大会で勝ちたいから練習を休ませたくないのだ。

本気で部活動を変えたいなら、まず全国大会や都道府県大会をなくすべきだ。大会があるから、勝つために隠れてまで練習する顧問が出てくる。主催は体育連盟だが、大会会場の設営などの準備から、当日の運営まで全てを行っているのは現場の教師たちだ。そんなものは、本来の教師の業務ではない。

前の話にも関連するが、国が打ち出した最新の対策は、部活動の地域移行だ。スポーツ庁の有識者会議では、二〇二五年度末をめどに、休日の部活動から段階的に、指導員を教員から地域のスポーツクラブなどに移行するよう提言している。指導者の確保や、大会のあり方、会費の問題など課題は多いが、実現されれば部活動問題の大きな進展となる。

子どもにもメリットがある。学校では作れる部活の数や種類が限られるし、部活があっても専門の指導者がいないことも多い。地域移行することで選択肢が増え、さらに学校外の居場所づくりもできるかもしれない。

今の部活動はそのあり方も、時間も、学校教育の範囲を逸脱している。大会で勝つことを目標に、学区外から選手を集めている顧問もいる。勝利至上主義の部活動には、親でさえ体罰を容認する空気がある。この章では過熱するブラック部活動の問題点を洗い出し、教育として適切な運用を考えていきたい。

One Point

部活動の本来の目的は、「スポーツや文化、科学等に親しませ、学習意欲の向上や責任感、連帯感の涵養等の資質・能力の育成」で、大会での勝ち負けではない。

熱血顧問による洗脳

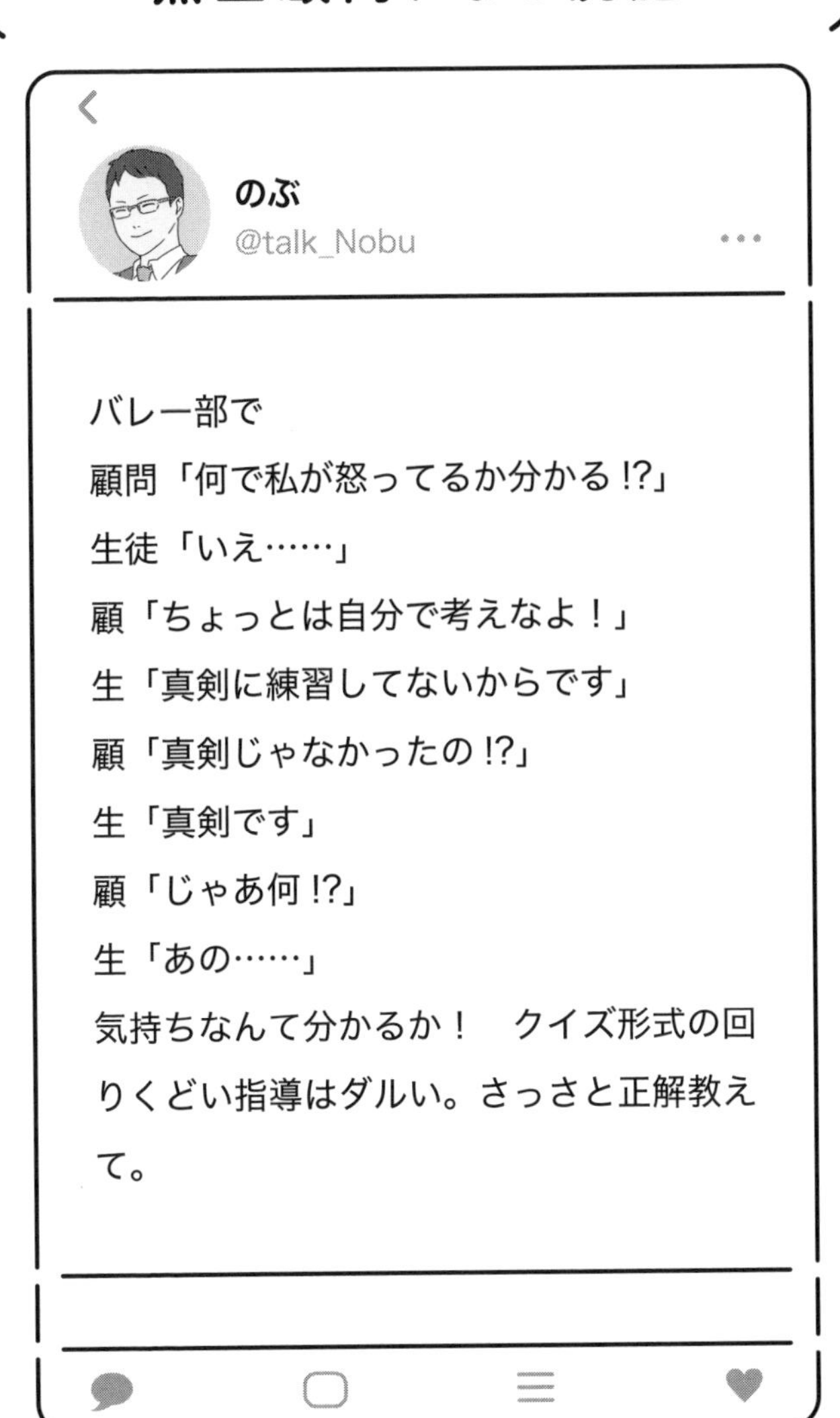
のぶ
@talk_Nobu
バレー部で
顧問「何で私が怒ってるか分かる!?」
生徒「いえ……」
顧「ちょっとは自分で考えなよ！」
生「真剣に練習してないからです」
顧「真剣じゃなかったの!?」
生「真剣です」
顧「じゃあ何!?」
生「あの……」
気持ちなんて分かるか！　クイズ形式の回りくどい指導はダルい。さっさと正解教えて。

部活動をテーマにした漫画やアニメ、ドラマは数多い。目標に向かって努力を重ね、時には失敗しながら成長する子どもたちの姿は、見ている人に感動を与える。

そんな部活動で生徒に大きな影響を与えるのが、顧問の存在である。漫画などではキャラの立った顧問が登場するが、実際の学校でも個性豊かな名物顧問がいるだろう。その中でも、厳しい練習と熱い指導で選手を勝利に導く熱血顧問は、一部の部活熱心な親から根強い人気と信頼を得ている。

実は、**この熱血教師と部活熱心な保護者の組み合わせが厄介で、ブラック部活動を作り出す危険がある。**特にこの傾向が強く現れるのが、部活の強豪校だ。親も顧問の暴言や体罰を黙認していて、追い込まれた選手が自ら命を落とす事件まで起きている。それにもかかわらず、今でも顧問の暴言や体罰が問題になると、周りの親や選手からは顧問をかばう意見が出るから恐ろしい。

なぜ、顧問の暴言や体罰が黙認されるのか。親と選手の視点から考えたい。まず親の視点から言うと、自分たちの成功体験があるからだ。

部活に熱心な親は、自分自身も部活動を頑張っていたことが多い。昔は今よりも暴言、体罰が当たり前で、理不尽な練習でしごかれてきた。それでも厳しい日々を乗り越えて試合に勝った、成長できたという成功体験があると、体罰ですら必要な試練だったと思い込んでしまう。すると、自分の子が同じように苦しんでいても「それぐらい当たり前だ。逃げたら強くなれない」と言ってしまうのだ。

これは顧問も同じである。教師は本来の業務でない部活指導の方法を、大学で学ぶ機会は一切ない。独学や過去の経験から指導するので、古い考え方が変わらないのだ。

次に選手の視点から言うと、**逆らえないように洗脳されている**からだ。

この手の顧問は、選手が自分の指示に従うまで、暴言や暴力を繰り返し、恐怖や罪悪感を植え付けて精神的に追いつめる。選手が意に沿わない行動を取れば、徹底的に否定して、指示通りに動いたとき急に優しく接する。そうして「指示通りに動かない自分が悪い」と相手に思い込ませる。**相手の行動をコントロールするために、洗脳と同じ手法を使っているのだ。**

顧問が絶対的な存在になると、選手同士でも「指示に従わない人が悪い」と互いを

責めるようになる。チーム内で自分の居場所を守るためにも、顧問に逆らうことができなくなるのだ。

練習中に体罰を繰り返す顧問でも、練習が終わると優しく人間味があり、選手や保護者から人気がある場合もある。それでも、暴言や暴力を使った指導は間違っている。厳しく指導する顧問に感謝している選手や親の陰で、苦しさから部活動不適応になる選手を何人も見てきた。**犠牲者を生みだす部活動は学校にいらない。**選手や親から人気の顧問なら、体罰に頼らなくても指導する力があるはずだ。

One Point

大人が中高生時代に受けてきた、気合と根性の部活動は、プロスポーツ界でも見直されている間違った指導方法だ。教師も親も考え方を変える必要がある。

生徒を追い込む ダブルバインドの指導

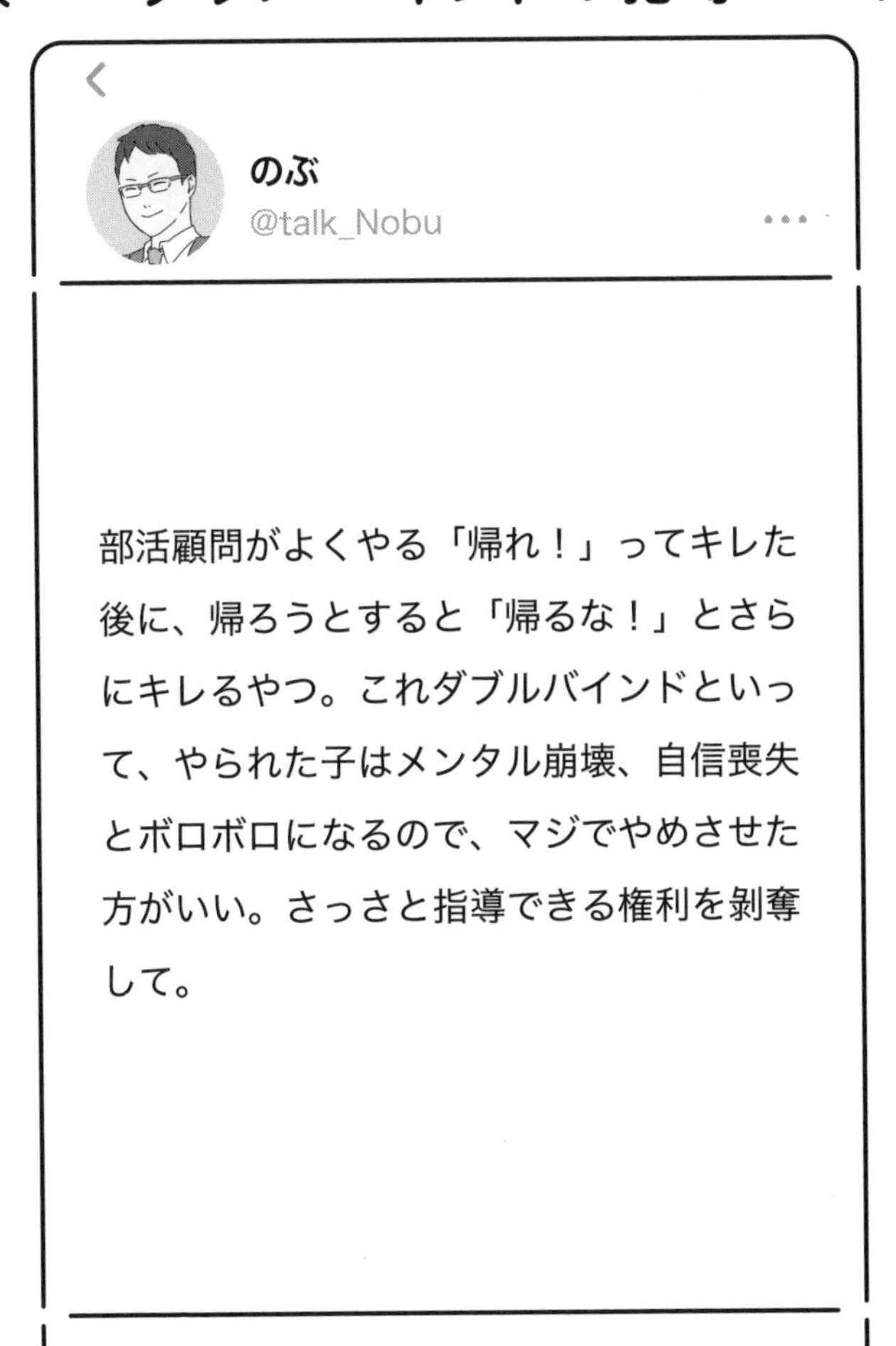

のぶ
@talk_Nobu
部活顧問がよくやる「帰れ！」ってキレた後に、帰ろうとすると「帰るな！」とさらにキレるやつ。これダブルバインドといって、やられた子はメンタル崩壊、自信喪失とボロボロになるので、マジでやめさせた方がいい。さっさと指導できる権利を剥奪して。

暴言や体罰以外にも、生徒を精神的に追いつめる指導がある。それは**「ダブルバインド」**と呼ばれるものだ。

ダブルバインドとは、統合失調症の研究者だったグレゴリー・ベイトソンが発表した造語で、日本語で「二重拘束」を意味する。二つの矛盾したメッセージを出すことで、**相手を「どうすればいいか分からない」状態に追い込むこと**を指す。どちらを選んでも不正解になるメッセージで、受け取った方は精神的に大きなストレスを抱える。しかも、言っている本人は無意識な場合が多いから厄介だ。

例えば**「やる気がないなら帰れ！」**という顧問の発言。

もし生徒が「やる気があります！」と言って帰らない場合、顧問が「やる気を感じない！　帰れ！」と怒鳴り続けるか、「なら俺が帰る！」と顧問が職員室に戻るのが、ありがちなやりとりだ。もし顧問が戻った場合は、追いかけて謝らないとさらに怒られる。

もし生徒が言われた通りに帰ろうとした場合、「本当に帰るやつがいるか！」と火に油を注ぐことになる。そして、顧問が職員室に戻ってくると「最近の子どもたちは、帰れ、と怒ると本当に帰る。信じられない」と愚痴をこぼす。

私自身も生徒としてこの理不尽なやり取りを経験したし、熱血指導のテンプレートかと思うくらい顧問が未だに繰り返す怒り方だ。こうなったら、生徒が何を言っても、何をしても無駄である。

結論、顧問の怒りが静まるまであきらめて謝るしかない。だが、そんなことを生徒は知らない。終わりの見えない指導に疲弊する。素直で周りに気を遣う人ほど自責の念にかられ、精神的に病んでしまう。教育の場であってはいけない事態だ。

ダブルバインドは、部活動だけでなく、教師から生徒、親から子ども、上司から部下など上下関係がある様々なところで見られる。「怒らないと言われたのに、怒られた」「相談しろと言われたのに、相談したら怒られた」などの例には、日常的に遭遇する。部活をやっていなくても、決して他人事(ひとごと)ではない。

身近な人がダブルバインドの怒り方をする場合、受けた方は相手の機嫌を常にうかがって行動することが習慣になる。自分で考えて行動する力が奪われて、主体性のない人間に育つ。これからの予測困難な時代を生きる子どもにとって、大きなマイナスとなりかねない。

ダブルバインドをなくすためには、教師側が強く意識して改善するしかない。しかし、無意識で発言している本人に自覚させるのは難しい。指摘しても改善するとは限らないし、子どもが大人に指摘するのも無理だろう。

もし可能なら、理不尽な指導をする人とは距離を取る方がいい。ただ、それも学校という閉鎖的な空間では難しい。だからこそ、教師は特にダブルバインドの悪影響を理解し、意識した発言が求められるのだ。

One Point

相手を思い通りにコントロールしようとするほど、相手は自主的に行動する力がなくなる。結果、いつまでも教師の指示が必要になり、組織にとってマイナスとなる。

部活動不適応を生みだす練習

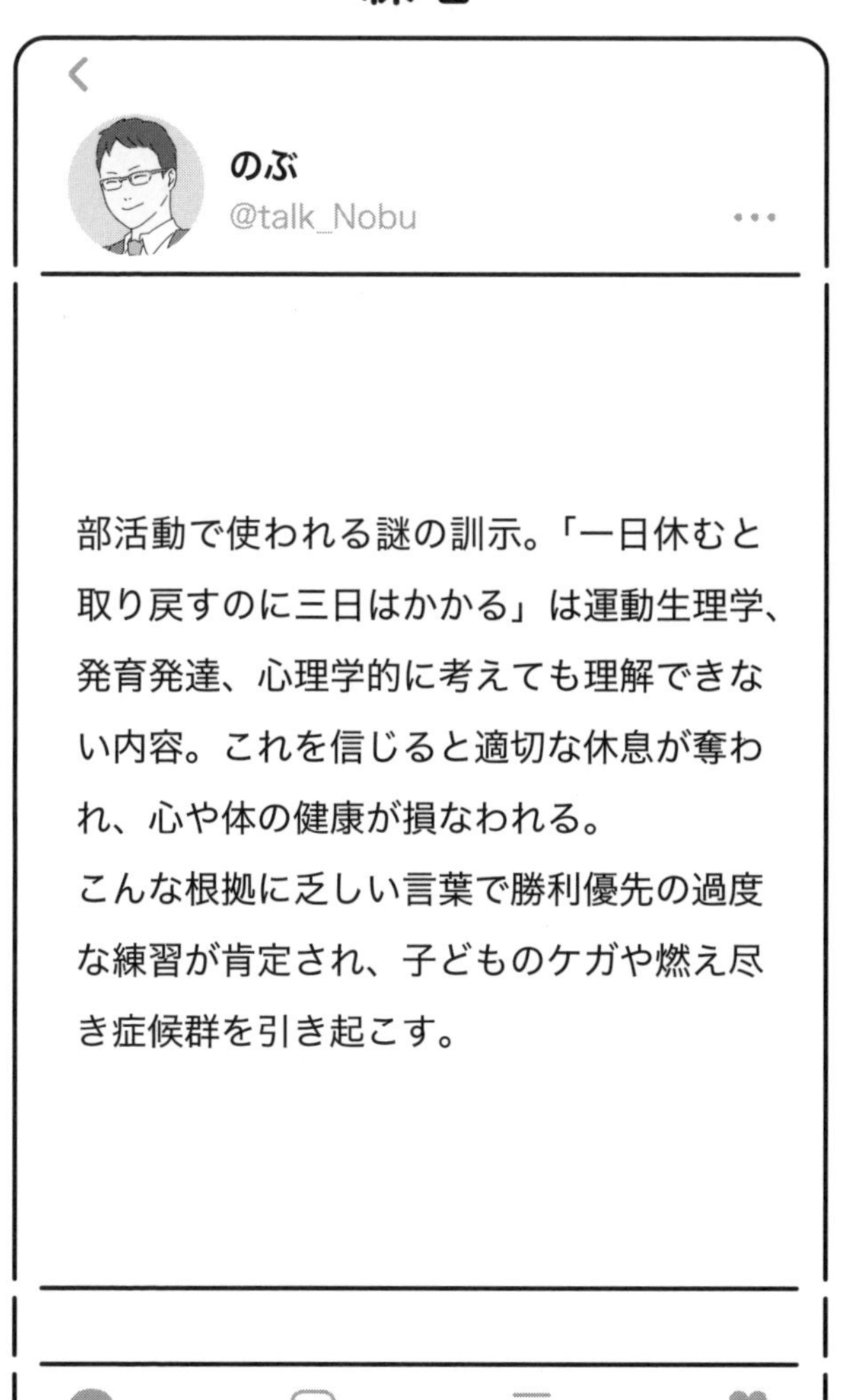

のぶ
@talk_Nobu
部活動で使われる謎の訓示。「一日休むと取り戻すのに三日はかかる」は運動生理学、発育発達、心理学的に考えても理解できない内容。これを信じると適切な休息が奪われ、心や体の健康が損なわれる。
こんな根拠に乏しい言葉で勝利優先の過度な練習が肯定され、子どものケガや燃え尽き症候群を引き起こす。

部活動不適応になった生徒と何人も面談してきた。不適応になる理由は様々だが、**勝ちにこだわり、過熱したブラック部活が原因になる**ことがある。

「野球が好きなのに、いつも怒られるせいで野球が嫌いになりそうです」と部活をやめた生徒。「普段の演奏は楽しいけど、大会前の練習の雰囲気が耐えられないからやめたい。でもやめるとみんなに迷惑がかかる。部員に会いたくないから学校にも行きたくない」と部活をやめた結果、不登校に発展した生徒がいた。

皆、顧問の厳しい指導に耐えられず去っていく。前にも述べたが、部活動の本来の「目的」は、スポーツや文化、科学などに親しませることである。それにもかかわらず「勝ち」にこだわり、競技が好きな子がやめていく部活動は言語道断だ。

大会で勝ちたいと思うのは当然だし、勝つことを「目標」にするのは悪くない。しかし、**ブラック部活動は、勝つことが「目的」になっているから問題だ。**「目的」とは部活動が最終的に実現したいこと、目指すべきゴールだ。「目標」は目的を実現するために、やらなくてはいけないことである。

「目的」を達成するために、「目標」を決めて、練習に励む。勝つことが「目的」になると、勝つために必要なことが「目標」になる。例えば、「練習量を確保するために、朝練習や夜練習をしよう」というものや、「より高い技術を身に付けるために、練習内容のレベルを上げよう」などの目標が考えられる。どれも勝つためには必要なことだ。

実は、この「勝ち」にこだわった目標が、部活動不適応を生みだす原因となる。前にあげた二つの例を使って、具体的に説明したい。

まずは練習量の増加だ。練習時間が増えると、自由な時間や休憩時間がへる。部活動中心の生活をしたい顧問や生徒はいいだろうが、学校外でも習い事をしたい生徒や、自由な趣味の時間がほしい生徒は困ってしまう。

また、体調を崩したり、家庭の都合があったりしても周囲に休むと言いにくい。「一日休むと取り戻すのに三日はかかる」という根拠のない言葉が生みだされるほどだ。**長時間拘束され、休んではいけない空気が漂い、力尽きてしまう生徒が出るのも無理はない。**

次に、練習のレベルアップだ。大会で勝つには、よりレベルの高い練習が必要になる。顧問は勝ちたい気持ちから、生徒に対する要望が多くなり、指導にも熱が入る。するし練習は必然的に大会のレギュラー向けの内容となり、初心者や苦手な子たちは置き去りにされる。練習に付いてこられない子がいると、練習が止まって邪魔になるので、他の生徒からの風当たりが厳しくなる。そんな高い要望や厳しい練習で、自分の居場所を失ったり、競技を楽しいと思えなくなったりする生徒が生まれる。

勝つことが「目的」になった部活動では、不適応生徒を何人出そうとも、大会に勝てば正義になる。理不尽な指導をする顧問でも、勝たせれば名監督と認められてしまう。**犠牲者を生みだすこの危険な思想を、周りの大人が許してはいけない。**

One Point

勝ちにこだわるのは、結果が求められるプロの世界の話だ。学校の外部でやってもらいたい。子どもの資質能力の育成を目指す部活動には、適さない目的である。

休むことが許されない文化

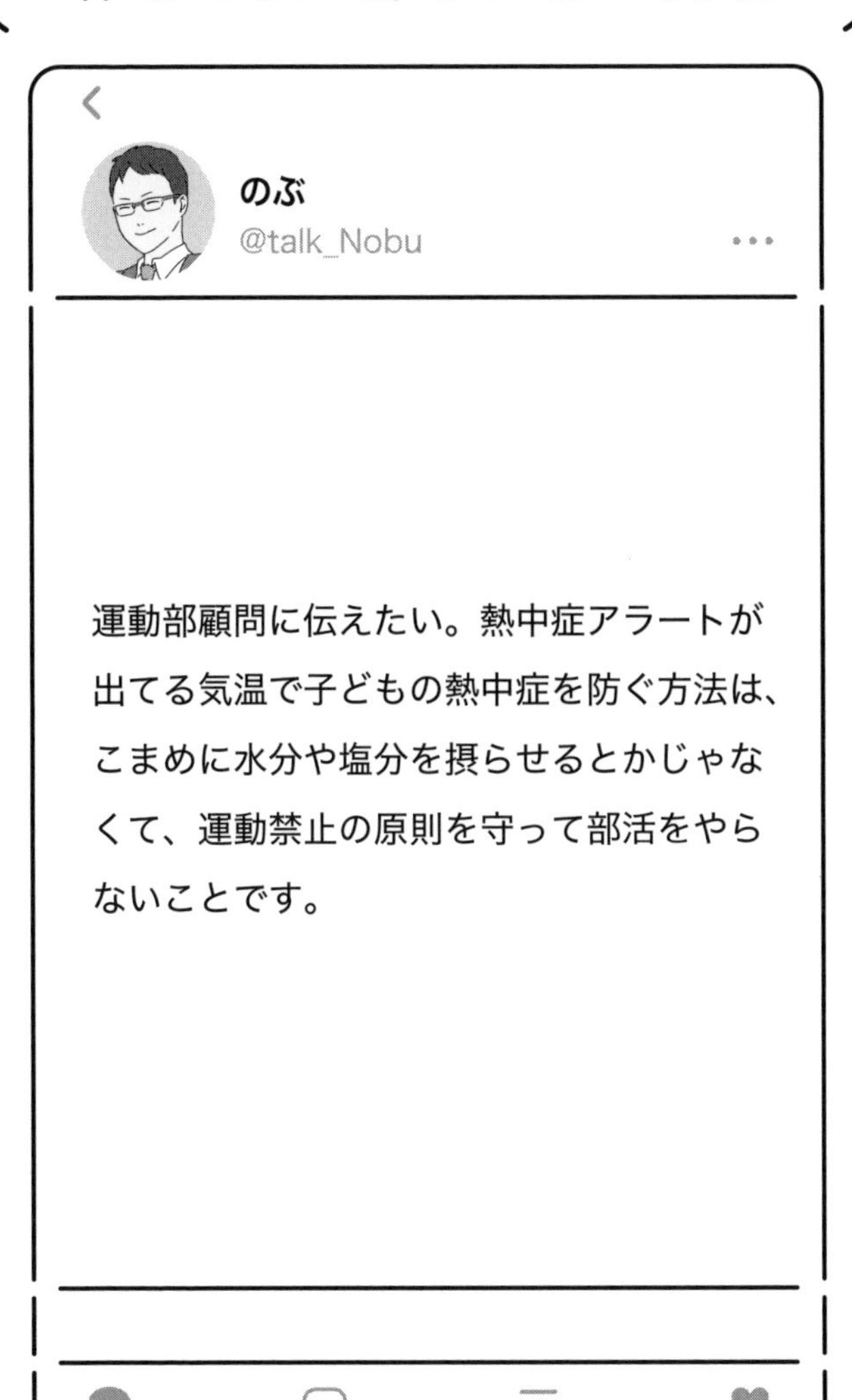

のぶ
@talk_Nobu
運動部顧問に伝えたい。熱中症アラートが出てる気温で子どもの熱中症を防ぐ方法は、こまめに水分や塩分を摂らせるとかじゃなくて、運動禁止の原則を守って部活をやらないことです。

過熱するブラック部活動の顧問は、とにかく練習を休まない。スポーツ庁はスポーツ医科学の観点から、活動時間や休業日の基準を設けた。それにもかかわらず、無視して休みなく長時間練習を続けている。大会に勝つには練習するのが当たり前だし、練習を休むことが不安で仕方ないのだ。

練習に対する異常な執着心が分かるエピソードを紹介したい。真夏の練習である。近年は夏の気温が高く、子どもが熱中症で搬送されるニュースもある。そんな熱中症が起こる危険が高いと、事前に知らせてくれるのが熱中症警戒アラートだ。日本スポーツ協会の「スポーツ活動中の熱中症予防ガイドブック」の中には、熱中症警戒アラートが出る基準の環境下では「特別の場合以外は運動を中止する。特に子どもの場合には中止すべき」と記載されている。

そんな流れもあって、私が勤めた学校では、熱中症リスクを示す暑さ指数が「原則運動禁止」の基準を超えた場合、部活動を中止する方針を決めた。この方針を決めるときに、最後まで反対したのがブラック部活動の顧問だった。「暑いくらいで部活を中止する必要はない。こまめに休ませるから大丈夫。練習できないのは生徒がかわいそう」など、生徒のために練習が必要であり、自分が見るから大丈夫だと訴えた。

しかし、実際の生徒の反応は違う。**危険な暑さの中、運動したいと考える生徒はわずか**。多くの生徒は、練習中止が決まると安堵し、喜んでいた。

さらに、「顧問が見ているから大丈夫」という考えもおかしい。もし生徒が熱中症で倒れても、その責任は顧問が取れない。責任を負うのは校長や教育委員会だ。親はわが子が熱中症で命を失ったとしても、直接顧問に責任を負わせることができない。実に無責任で身勝手な発言だと分かっていただけるだろう。

練習を休みたくない顧問の本音は「練習しないと勝てない。他の学校と差がついていく」というもので、**大会に勝つ目的を達成したいだけ**なのだ。

そんな顧問のもとにいれば、当然生徒は休むと言えなくなる。「練習を休んだら大会に出してもらえない」と考え、無理をする生徒が出てくる。無理をすると心配なのがケガの問題だ。私自身もケガで苦しんだ経験がある。

私の高校時代は「ケガくらいで休むな。動けるなら練習しろ」と言われて練習したし、試合にも出ていた。親指を痛めていたけど、テーピングで固定すれば問題なく、試合に出たかったので当時は気にもしてなかった。ところが、十数年たった今でも、そのとき痛めた親指は完治していない。物を強い力でつかめない程度の後遺症が残った。医者からは「手術しないと治らない」と言われている。

私以上に大変な状況の人もいるだろう。野球界では子どもの将来を守るため、球数制限（一人週五百球以下の投球）を設ける動きがある。だが、これにも反対意見が多く出ている。子どもは、目先の大会での勝利しか見えていない。だからこそ、大人が子どもの将来を考えて、適切な休養を取らせるべきである。何度でも言うが、勝つことが部活動の目的ではない。

One Point

「子どものために」必要なのは、目先の勝負にこだわって「限界まで頑張らせる」ことではなく、将来の可能性を潰さないよう「適切な休養を取らせる」ことだ。

部活動が教師を追い込む

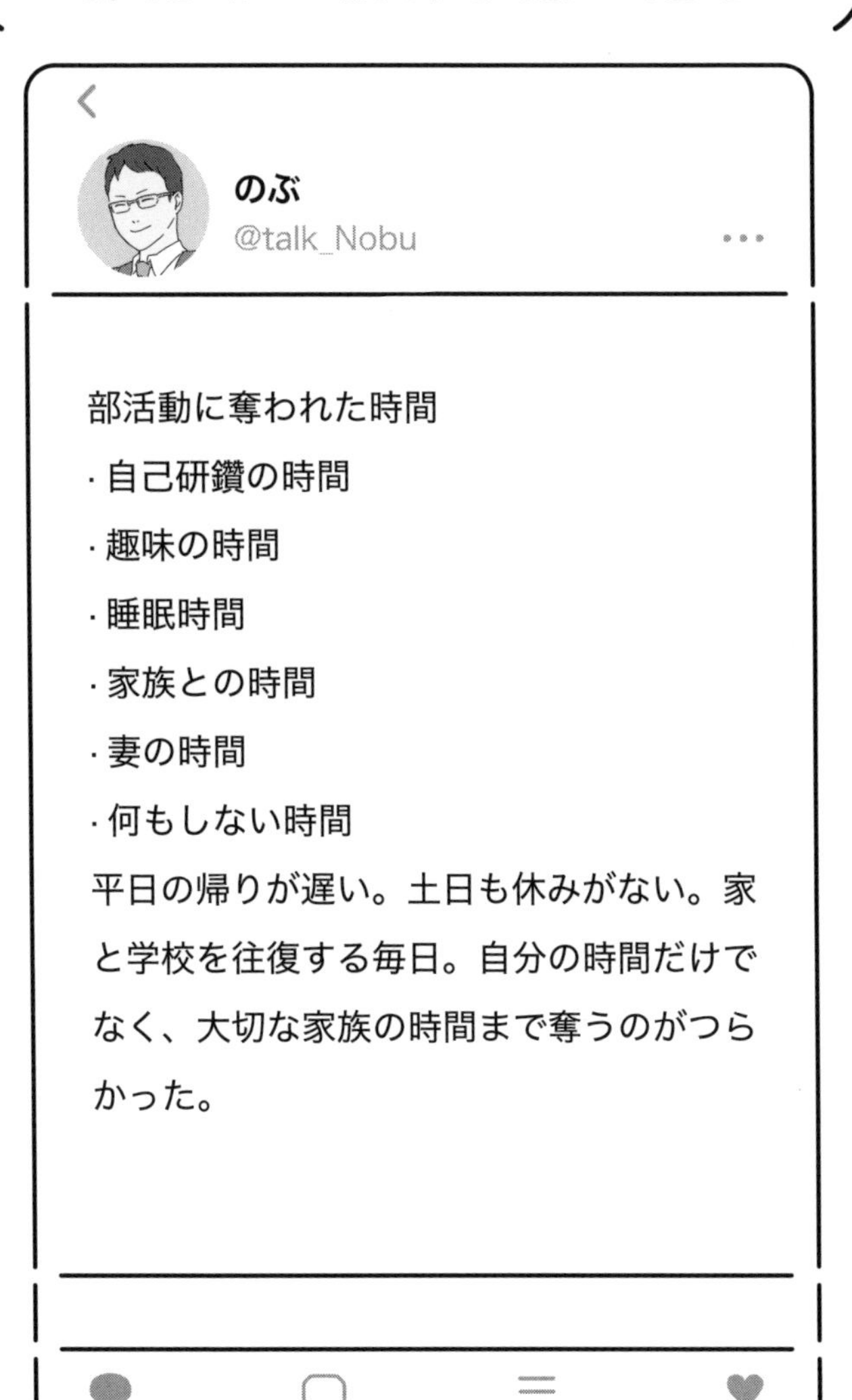

ブラック部活動は、教師にも大きな負担をかけている。

二〇一六年度に文部科学省が実施した「教員勤務実態調査」では、中学校教員の約六割が過労死ラインを越える、過酷な労働環境が明らかになった。特に残業時間を増やす原因が、平日と休日の部活動指導だ。

部活動は教師の時間と余裕を奪う。

平日の部活動は、放課後すぐに始まり、終わる時間は教師の勤務終了時間より後になる。部活動指導だけで残業が確定する。生徒を帰した後は、担任業務や学校の事務仕事をこなす。ここまでやってようやく、本業の授業準備に取り掛かれる。

時間に追われて授業準備がまともにできず、若いときはひどく苦労した。経験を重ねると、準備ができなくても何とか授業はできる。任される業務が増えるので、どんどん授業にかけられる時間が削られていく。一番大切な業務は授業なのに、アップデートする時間が作れないことに違和感があった。

平日の帰りが遅いことに加えて、休日も奪われるのは本当につらい。練習試合や大会があれば、土日が丸一日潰れることもしばしば。プライベートの時間が取れないので、リフレッシュも休養もできない。
私が一番悩んだのが、家族との時間が取れないことである。妻が妊娠し、出産したときは特に大変だった。早く帰りたいのに、自分の部活動だけ練習をなくすわけにはいかない。土日もなるべく家にいたいのに、生徒や親からは練習試合を希望する声がある。それらのしがらみを調整するのは一苦労だった。私がいない時間は妻に家事や育児の負担がかかるわけだから、部活動は教師の家族の時間まで奪っているのだ。

部活動が教師に与える負担は、長時間労働だけではない。

まず経済的な負担も大きい。**練習試合や大会で遠征に行くとき、交通費は支給されない。**練習に必要なジャージや道具は自分で購入する。試合の審判をする場合の資格や研修費用も自費である。とにかく持ち出しが多い。

では休日に一日中部活動すると、いくら手当がもらえるのか。自治体によって差はあるけれど、何時間働いても上限三千円ちょっとの手当がもらえるだけだ。お昼代と交通費を差し引くと、良くてトントン、マイナスになることもざらにある。本当にボランティア活動のようなものだ。

また精神的な負担も大きい。例えば、自分が経験したことのない部活を受け持たされることがある。指導方法はもちろん、競技のルールから勉強しなくてはいけない。頑張っても、生徒や親からは、前の顧問と比べられて文句を言われる。部活動が崩壊して、親からも追いつめられて、病んでしまった顧問もいた。

さらに、部活の練習中に生徒がケガをするリスクも怖い。救急車を呼ぶ判断を迫られるような場面もある。緊張感といった意味では、授業よりストレスがかかるのだ。

新型コロナ禍で部活が中止になったとき、現場に余裕が生まれた。感染症対策での忙しさはあったが、土日に休めることは精神的に大きい。**教師にも休養は必要だ。**

One Point

過熱したブラック部活動で追いつめられる前に、顧問拒否という選択肢もある。本来の業務ではない部活動のために、教職をあきらめるのはもったいない。

Column

怒ると叱るの違い

教師をやっていれば、子どもを叱らなくてはいけない場面に必ず直面する。叱るべき場面を見逃すと、学級が崩壊する。最悪は子どもの命に関わるため、叱り方は重要だ。指導力のある教師は、叱り方がうまいのである。

教師だけでなく、親も、会社の上司も、叱る技術は必要だ。しかし、大学の教職ですら、正しい叱り方を教わる機会はない。大体の人は自分の経験をもとに、自己流でやっている。だから叱り方が下手な人が多い。

まず「怒る」と「叱る」が区別できていない人がいる。違いを次ページの表にまとめた。

「怒る」のは、自分の怒りの感情を相手にぶつける行為。パワハラや体罰といった問題行為がこれだ。相手が委縮したり、反発したりするだけで、問題は解決しない。

対して「叱る」は、相手の間違った行動を正す行為だ。叱り方にはコツがある。自分が感情的になるのを防ぐこと、相手の行動変容を促すことがポイントだ。

さらに最近は「叱る」よりも「褒める」技術が注目されている。実は「叱る」と「褒める」は、「相手の行動を正

しい方向に導く」という意味で同じ効果がある。同じ効果が期待できるのなら、日常的に使うのは「褒める」方法がいい。

褒め方にもコツがある。結果を褒めるよりも、過程を褒めた方が、より今後の動機につながる。学校ならテストの点数ではなく、頑張って勉強していた姿を褒める。人から褒められることで、「自分は価値のある人間だ」という自己肯定感が高まり、もっと頑張ってみようと内的な動機づけが生まれる。叱る以上に付加価値が高い。

そして何より、相手と良好な人間関係を築くためには、相手の良さを認めることが不可欠だ。良い関係を築けているからこそ、いざというときの「叱る」に効果が出る。

「叱る」と「褒める」は使い分けが必要だ。「叱る」のは、絶対に許されない行為をしたとき。分かりやすいのが、人を傷つける行動をしたときや、わがままで迷惑な行動をしたときだ。絶対にダメだと伝える必要がある。このときは叱ることをためらってはいけない。

怒ると叱るの違い

怒る	叱る
感情的に	理性的に
怒りと勢いで	試行錯誤しながら
自分のために	相手のために
過去に焦点を当てて	未来を見据えて
自分の言いたいように	相手に伝わるように
相手を批判するように	相手を認めながら
相手を傷つける	相手に反省させる
問題解決にならない	問題解決に近づく

Chapter 4

やばいいじめ指導をする教師

いじめ指導の方向性がおかしい

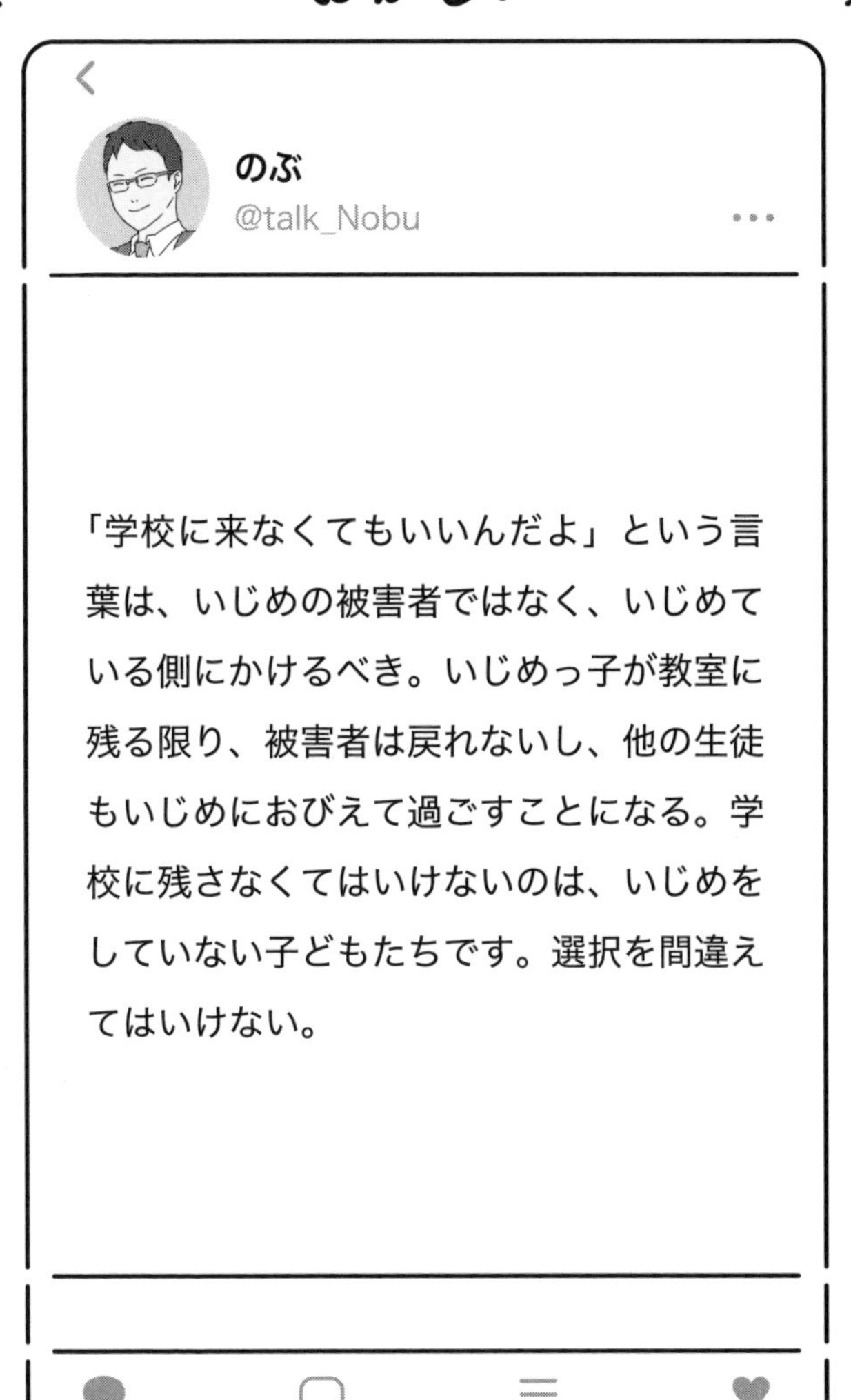

のぶ
@talk_Nobu
「学校に来なくてもいいんだよ」という言葉は、いじめの被害者ではなく、いじめている側にかけるべき。いじめっ子が教室に残る限り、被害者は戻れないし、他の生徒もいじめにおびえて過ごすことになる。学校に残さなくてはいけないのは、いじめをしていない子どもたちです。選択を間違えてはいけない。

「人間の悩みは、全て人間関係の悩みである」。

アドラー心理学の教えの一つで、深く共感できる考えだ。

人が抱える悩みは、人と物の間には起こらない。必ず人と人との間に起こる。子どもも同じだ。悩みごとがあれば、安心して学校生活を送れない。勉強にも前向きになれない。だからこそ指導力のある教師は、子どもたちの人間関係づくりに全力を注ぐ。

前に述べたように、学校で目指すべき人間関係は、「みんな仲良し」ではない。いろいろな人がいることを認めて、適切な距離感を保てる「誰も傷つけない」関係性である。つまり「いじめが起こらない人間関係づくり」が求められるのだ。

ではどうすれば、いじめが起こらない人間関係が作れるのか。

まずは道徳や学級活動などの授業で、いじめの事例を取り上げ、対策を話し合うといった啓蒙活動が大切である。子どもの自殺など、後を絶たない「いじめ問題」を打開すべく、国は道徳を教科化した。いじめの定義や事例など、正しい知識を身に付けることは、いじめと戦う上で間違いなく役立つ。

しかし、知識を身に付けただけでは、絶対にいじめは防げない。むしろ「いじめは必ず起こる」と考えて備えるべきだ。その上で、重要なことがさらに二つある。

一つは、いじめの芽を見逃さずに摘んでおくことだ。

どんなクラスでも最初は、他人への「からかい、悪口、暴言、無視」といった小さなトラブルが起こる。この小さな人間関係のトラブルこそ、全て「いじめ」につながる芽だ。この芽を放置しておくと、クラス全体に広がり大きないじめへと発展する。だから、教師は早い段階でいじめの芽を見逃さず、根気強く摘んでおく必要がある。授業で身に付けたいじめの知識を、行動レベルへと落とし込むために指導する。いじめにつながる行動や言動を見かけたら、個別に注意をする。事前に授業で示した事例と正しい行動を思い出させる。おおよそ**四月から六月くらいの時期を目安に、学級内の人間関係を整理していく**。そうすると、夏休み前ごろにはトラブルの数は減っていき、少しずつ学級が落ち着いていくのだ。

もう一つは、**いじめの加害者に対して毅然（きぜん）と指導すること**だ。

どんなに注意していても、いじめは起こる。前のクラスや、小学校のころから続いているケースもある。そのとき、加害者に毅然とした指導ができないといけない。

よく「被害者を守るため」と言って、保健室や別室に避難させるケースを聞くが、被害者を排除する指導は絶対に間違いである。**教室から出すべきは加害者だ。**加害者が残る限り、他の子も安心して生活できない。いじめに抗（あらが）うことは無駄だと悟らせてしまう。そこから先は、教師の信頼もなくなるだろう。

加害者を別室に入れ、周りの子からも情報を集め、事実をもとに「いじめは絶対に許さない」という毅然とした態度を示さなくては、いじめはなくならないのだ。

この章では「いじめ問題」に焦点を当てる。他にも学校の間違ったいじめ指導を明らかにするとともに、被害者を守る指導の方向性を示していきたい。

One Point

教室に残すべき、守られるべきは被害者だ。いじめっ子を残せば、他の子は大人に頼っても無駄だと悟る。おびえて生活することになる。選択を間違えてはいけない。

握手でいじめは解決しない

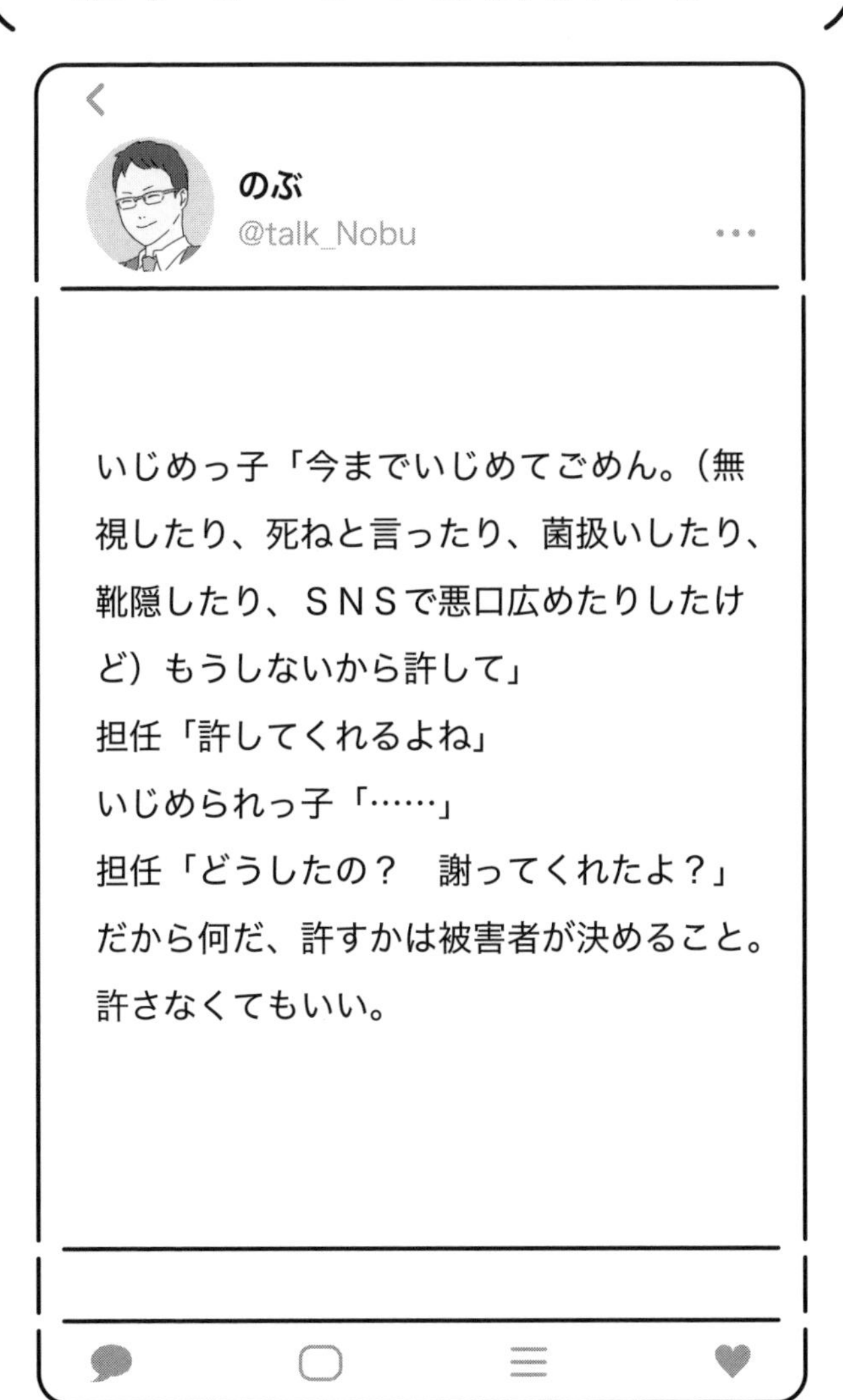

のぶ
@talk_Nobu
いじめっ子「今までいじめてごめん。（無視したり、死ねと言ったり、菌扱いしたり、靴隠したり、ＳＮＳで悪口広めたりしたけど）もうしないから許して」
担任「許してくれるよね」
いじめられっ子「……」
担任「どうしたの？　謝ってくれたよ？」
だから何だ、許すかは被害者が決めること。許さなくてもいい。

いじめの間違った解決方法に「謝罪の会」がある。

名前の通り、いじめの加害者が被害者に対して謝罪をする会だ。この加害者の謝罪をもって、いじめ問題が解決すると勘違いしている教師が多すぎる。


謝罪の会では、いじめは絶対に解決しない。その理由は二つある。

一つは、**加害者が反省していなくても謝罪はできるから**だ。

指導する側の教師は、「謝罪の会」という分かりやすい節目を作って、問題が解決したことにしたがる。だから、加害者にいじめを止めるように指導した後、謝るように促す。そして謝罪させる。この安易な謝罪が危険なのだ。

謝罪の言葉と、加害者の気持ちは必ずしも一致しない。何が悪かったのか理解していないけど、とりあえず謝る人。怒られるのが面倒くさいから、謝って早く終わらせたい人。謝罪だけなら誰でもできる。心からの謝罪がなくても、謝罪の会は終わったことにされてしまう。そうすれば、いじめはその後も続く可能性が大きい。怒られた腹いせにいじめが悪化したら最悪だ。

もう一つは、被害者が謝罪を拒否できないからだ。

そもそも、いじめの加害者と被害者は対等な立場ではない。力関係では、被害者の方が弱い。さらに被害者は一方的に攻撃されてきたので、加害者に恐怖心や嫌悪感をもっている。

そんな二人が顔を合わせて、教師が設定した会で加害者から謝罪されたら、**被害者は「許さない」と言えるだろうか**。ほぼ不可能である。

もし断れば、加害者に後から何をされるか分からない。教師からも、なんて言われるか不安をもつだろう。どれだけ嫌なことをされてきても、相手を恨んでいても、「許す」ことが強要される。謝罪の会の恐ろしさが、分かってもらえるだろうか。

謝罪の会は、ケンカの解決には効果がある。ケンカの場合は、やった側とやられた側のお互いが対等な立場なので、お互いの悪いところを認めさせて、謝らせることができる。

ケンカといじめの区別ができない教師が、同様の解決方法で終わらせようとするから事態が悪化するのだ。

では何をもって、いじめ指導の解決とすればよいのか。

これは非常に難しい問題で、一言では言い表せない。いじめ指導は、被害者の気持ちを置き去りにして進めることはできないからだ。いじめが解決したかどうかは、被害者が安心して生活できるようになるまで判断ができない。

そのためには最低限、加害者がいじめを繰り返さない状態を作ること、被害者の安全が確保されることが不可欠だ。加害者には、その子の性格や特性を理解して、毅然とした指導と学級活動全体を通して継続した支援が必要になる。

そして、**全てを担任にまかせてはいけない。**少なくとも同じ学年をもつ全教員でいじめ指導に取り組むことが、いじめの抑止力になり、被害者を守ることにつながるのだ。

One Point

謝罪でいじめ指導は終わらない。その後、実際に加害者の行動が変わらないと解決したことにならない。継続した指導が加害者には必要だ。

いじめていい理由なんてない

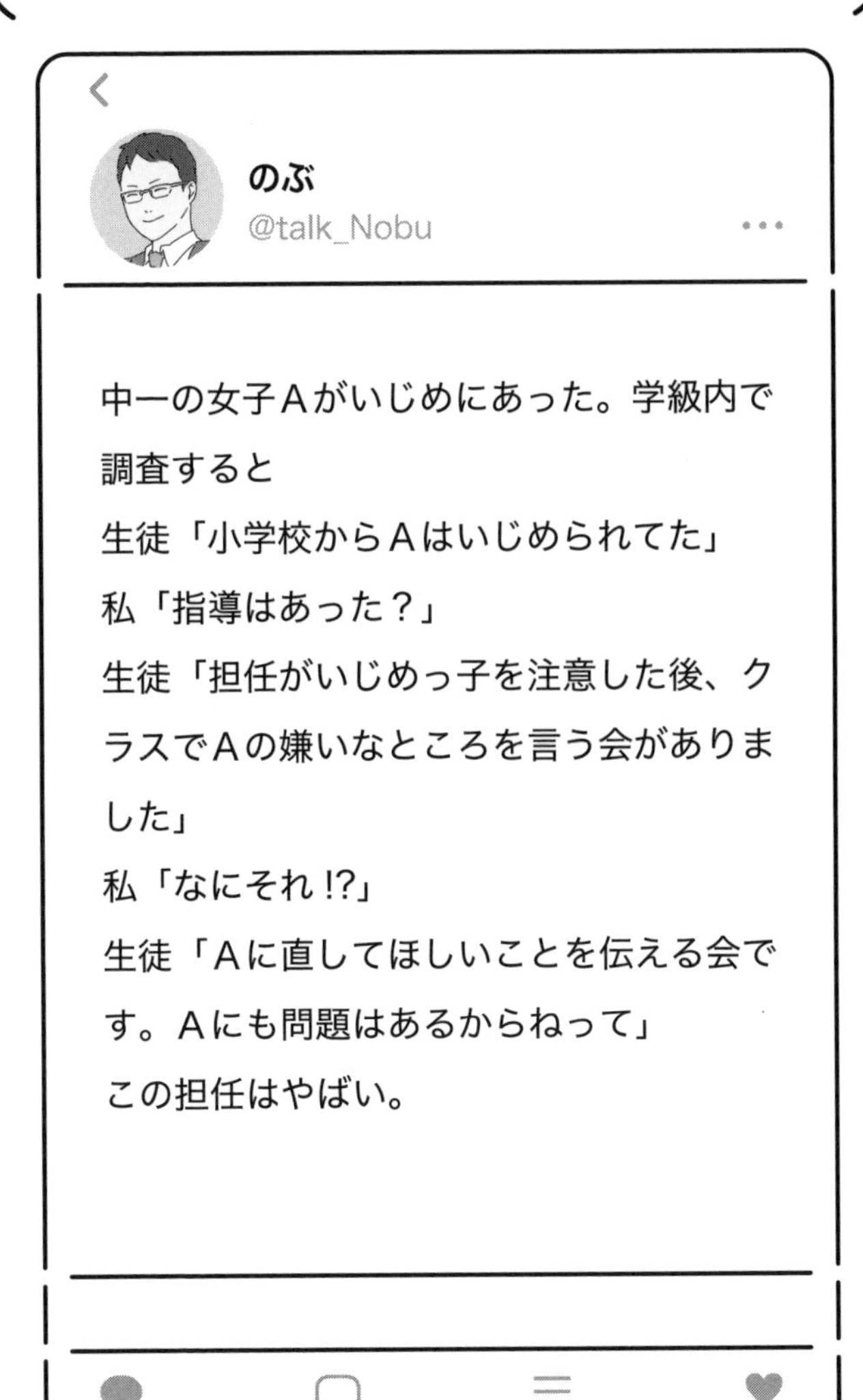

のぶ
@talk_Nobu
中一の女子Aがいじめにあった。学級内で調査すると
生徒「小学校からAはいじめられてた」
私「指導はあった？」
生徒「担任がいじめっ子を注意した後、クラスでAの嫌いなところを言う会がありました」
私「なにそれ!?」
生徒「Aに直してほしいことを伝える会です。Aにも問題はあるからねって」
この担任はやばい。

私が今まで聞いたいじめ指導の中で、一番衝撃的だったのが「**いじめられっ子に直してほしいところを伝える会**」だ。

中学一年生を担任したときに生徒から聞いた話で、小学六年生の担任による指導である。会の内容はその名の通りで、教室に子どもと担任がいる状態で、いじめられっ子にクラスの全員から直してほしいところを伝えるものだ。

何人かの生徒に過去の話を聞くと、ある生徒からは「Aちゃんの嫌いなところを言う会がありました」と言われ、他の生徒からは「先生が、Aちゃんにも直してほしいことがあるから、と言っていた」と言われた。聞けば聞くほどひどい話だ。

このAさんには、中学校に入学してもいじめが続いていた。あんな指導を受けた生徒なら当然である。当時の担任は完全にいじめの加害者だ。校長を通じて小学校には苦情を入れたが、すでに担任は異動していて真相は分からなかった。教師としてまだ子どもの前に立っていることが信じられない。

この指導の根底にあるのが「いじめられる方にも原因がある」という考えだ。

そして、**私はこの考えを完全に否定する。いじめられる方に原因なんてない。**

加害者がいじめを正当化するために、いじめる理由を後から作るのである。だから理由なんてなんでもいい。いじめの原因は完全にいじめる方にあって、いじめられる側は防ぎようがないのだ。

なぜ勘違いする人がいるのか。アニメ「ドラえもん」ののび太とジャイアンを例に説明したい。

のび太にもジャイアンにも欠点がある。のび太は勉強や運動が苦手で、のんびり屋。ジャイアンは歌が苦手で、わがままだ。さて、いじめられる方に原因があるなら、二人ともいじめられることになる。むしろ、わがままな性格のジャイアンの存在の方が、迷惑に感じる人は多いはずである。

でも、のび太はいじめられるのに、ジャイアンは誰もいじめない。結局、いじめの加害者は、いじめやすい人を選んで攻撃しているだけなのだ。

このことに気づかず、被害者の欠点を取り上げて、いじめられる原因があるからだと勘違いする人がいる。教師ですら勘違いしている。そして、「いじめられる方にも原因がある」という心無い周りの声を信じてしまい、被害者自身が自己嫌悪に陥る。

繰り返すが、いじめの原因は百パーセントいじめっ子にある。いじめを正当化する理由なんて万が一もない。いじめを正当化したい加害者がいるだけだ。

誰にでも欠点はある。そんな欠点を理由に、いじめという行為を許してしまったら、私刑（リンチ）を認めているようなものだ。**いじめは犯罪と同じで、学校からなくさなくてはいけない。**間違っても大人が子どもと同じ気になって、いじめに加担することは許されない。小さないじめも見逃すことがあれば、いずれ大きな事件につながる可能性があるのだ。

One Point

「相手も悪い」といじめを正当化する加害者に惑わされないためには、いじめた「理由」ではなく、いじめという「行為」に注目する。ぶれずに毅然と指導すべきだ。

教師の隠れたカリキュラム

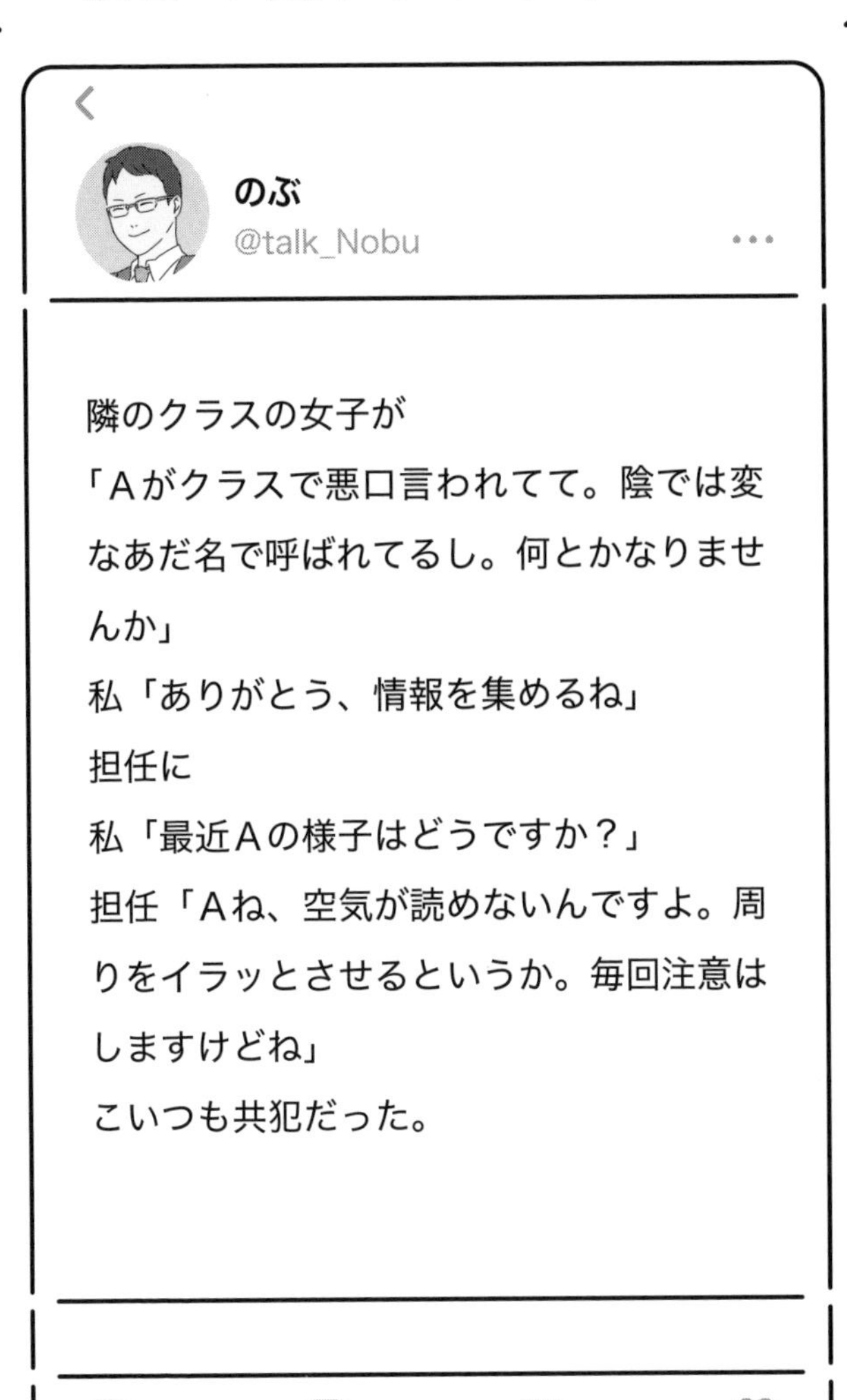

のぶ
@talk_Nobu
隣のクラスの女子が
「Aがクラスで悪口言われてて。陰では変なあだ名で呼ばれてるし。何とかなりませんか」
私「ありがとう、情報を集めるね」
担任に
私「最近Aの様子はどうですか？」
担任「Aね、空気が読めないんですよ。周りをイラッとさせるというか。毎回注意はしますけどね」
こいつも共犯だった。

学校には、「**隠れたカリキュラム**」と呼ばれるものがある。

授業計画などの公式なカリキュラムと違い、学校の文化や教師の言動を通して、子どもたちが知識や行動、メンタリティなどを学んでいくものだ。教師が意図する、しないにかかわらず、子どもはその姿を見て学んでいる。

実はこの「隠れたカリキュラム」は、いじめの原因にもなる。不適切な教師の言動が、学級に差別意識を生みだすからだ。具体的な例を二つ紹介したい。

一つ目は、教師が特定の子をみんなの前で叱責する場合だ。

例えば授業中、気になることをすぐに質問してくる子がいたとする。教師にとっては、授業の流れを止める困った子だ。最初は軽く注意していても、だんだん言葉がきつくなる。「ほんと話が聞けないやつだな」「空気読めないのか」と冷たい言葉が出る。極端な例ではあるが、学級のみんなが見ている前で、教師が特定の子をいつも叱責すれば「この子は悪い、この子は変だ」という意識が子どもに作られる。教師の真似をして注意したり、無視したり、冷たい態度を取るようになる。結果として、**教師が**

主導して、学級にいじめを生みだす構図になってしまう。

授業中に騒いだり、危険な行動をしたりする子への注意は必要だ。見逃せば授業崩壊につながる。ただし今回のケースでは、その子の特性を理解して「後で質問の時間を取るからね」と伝えておくこともできる。別室などで個別に注意する配慮も大切だ。そもそも教師の説明が長くて、分かりにくいのかもしれない。

相手の欠点ばかりに注目して攻撃するのは、子どもがいじめを正当化する理由と変わらない。教育者として許されない行為なのだ。

二つ目は、教師が特定の価値観を植えつけてしまう場合だ。

例えば休み時間に、一人で絵を描いている男子に、教師が**「男の子ならたまには外で遊んできなよ」**と言ったとする。教師は「教室に一人でいるのが心配」という気遣いから声をかけている。でも本人や、周りで聞いていた子は「教室に一人でいるのは悪いこと」「男子が絵を描くのは変なこと」と考えるかもしれない。

教師の何気ない一言が、その子のアイデンティティを傷つけ、周りの子に偏った価値観を植えつける。一人で絵を描きたいだけなのに、周りの視線が気になり、教室にいづらい雰囲気ができあがるのだ。

こういったケースは、教師が意図せず発言している場合が多い。自分の発言によって、相手の言動を否定する結果になることがある。**子どもの間に差別意識を生まないためにも、気をつけて発言すべきだ。**

逆に「隠れたカリキュラム」がプラスに働くこともある。失敗を恐れないクラス、違いを否定しないクラスなど、前向きな学級の文化を作ることもできる。そのために学級経営がうまい先生は、自分の姿や言動を、意図的にコントロールしているのだ。

One Point

身近な大人である教師の言動は、良いことも悪いことも子どもに伝染する。学校から差別意識をなくすには、教師が意図的に排除する指導をなくさなければいけない。

違いを排除するやり方は間違い

金髪の子、アイプチの子、ピアスを開けてる子、全て担任したけど、学級経営で困ることはなかった。いじめっ子が一人いる方がよっぽど大変。周りを攻撃し、人間関係を乱すから、学級が落ち着かない。見た目をそろえる校則より、いじめ対応について細かいルールを作った方が学校が落ち着くよ。命も救える。

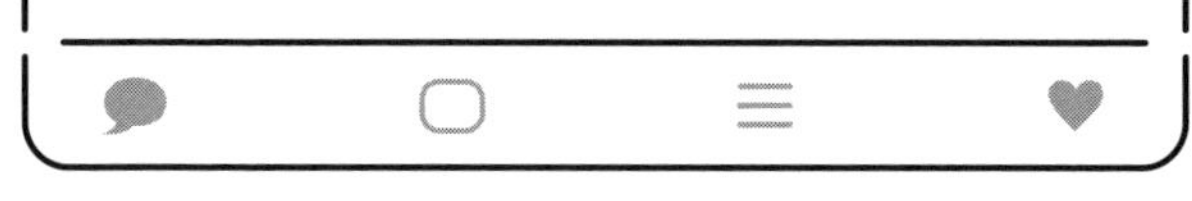

校則や学級経営の問題でも述べたが、学校には違いを排除して、「みんな一緒」を求める文化が根強く残っている。見た目をそろえることで、いじめを防げると考えている。

これは大きな間違いだ。排除する考え方では、いじめは防げない。この文化が「隠れたカリキュラム」となって、子どもたちは違いを受け入れられない人間に育つ。

そもそも差別は、人種や性別、見た目や生まれなど、自分と相手との違いに差を作って見下し、排除しようとする考えが原因だ。また文部科学省では、人権教育で身に付けるべき「人権感覚」を、「自分の大切さとともに他の人の大切さを認めること」と表現している。

人それぞれに違いがあることは当たり前である。人と違うことが問題ではない。ただその違いを受け止める考え方や、折り合いの付け方を知らないからトラブルが起こるのだ。

学校で教えるべきは、自分と違う考え、価値観をもつ人とどう付き合えばいいのか。

どう折り合いをつけて行動するのかである。そのためには、**学校にいろいろな人がいた方が都合がいい**。周りに合わせて行動する人間ばかりの集団では、絶対に学ぶことができないのだ。

例えば、髪の色は金髪がいても、ピンクがいても、カラフルだろうと関係ない。「髪を染めたい人」≠「非行に走る子」だとすぐ気づくはず。服装だって、制服だろうと私服だろうと、スカートでもズボンでも、誰にも迷惑をかけない。休み時間は静かに読書したい子がいれば、外でみんなと遊びたい子もいる。

いろいろな人がいる中で、自分の価値観を押しつけて「あいつはおかしい。変なやつだ」とバカにしたり、攻撃したりするからいじめが生まれる。そして**価値観を固定させる原因こそが、違いを排除して「みんな一緒」を求める学校の文化**である。

他にも学校では、持ち物や服装を自由にすると「貧富の差が見えるようになって、いじめが起こる」と言われる。

確かに貧富の差は見えるようになる。しかし、社会に出てしまえば同じことではないだろうか。学校では隠しておいて、社会に出たら放置するだけでは、トラブルを先送りしているだけだ。

もし貧富の差が見えたときに、貧しい人を見下すような言動をする子がいたら、その子の関わり方を改善しなくてはいけない。過剰に高価なものをもってきて自慢するようになるのなら、子どもたちと一緒に話し合って制限をかければいい。理不尽な校則を徹底する時間や労力よりも、よっぽど教育的に価値のある時間の使い方だ。

違いを受け入れる経験を積んでくると、自分自身の価値観が広がってくる。良い意味で他人との違いに興味がなくなる。**お互いが自立した集団になる。**中学校なら三年間かけてこの文化を学年に作る。結果として、いじめは起こらなくなるのだ。

One Point

自分と考えや行動が違う相手がいることを認めて、あるがままに違いを受け止める練習を繰り返すことが、差別やいじめが生まれにくい集団づくりにつながる。

いじめは穏便に済ませない

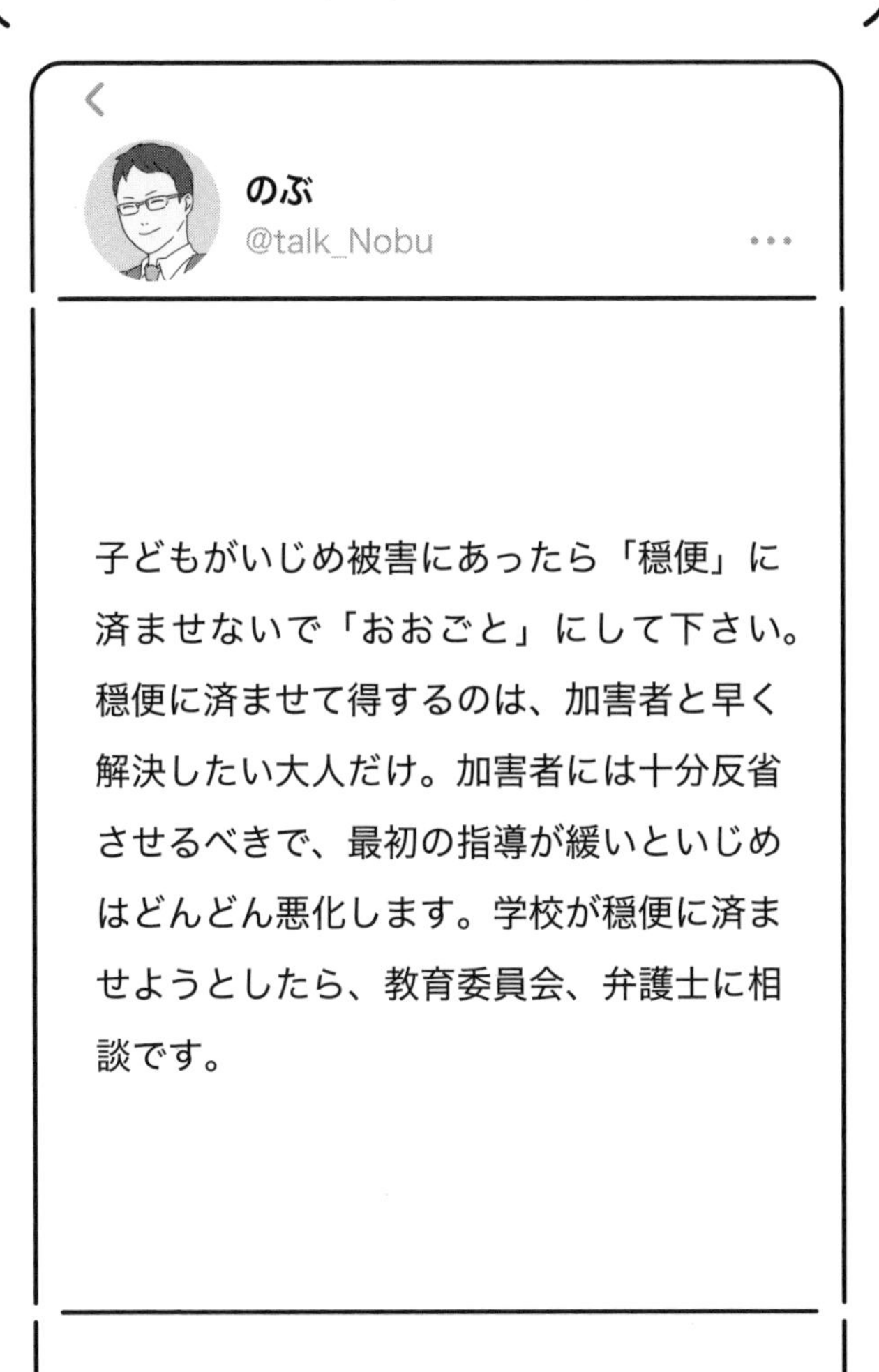

子どもがいじめ被害にあったら「穏便」に済ませないで「おおごと」にして下さい。穏便に済ませて得するのは、加害者と早く解決したい大人だけ。加害者には十分反省させるべきで、最初の指導が緩いといじめはどんどん悪化します。学校が穏便に済ませようとしたら、教育委員会、弁護士に相談です。

学校のいじめ指導は、教員まかせになっている。特に学級担任の力量に左右される部分が大きい。固定学級担任制をとっている学校がほとんどで、学級担任以外はそのクラスの様子が見えにくく、関わりをもちにくいことも一因だ。

いじめ指導は生徒指導案件の中でも重要度が高く、かつ難易度も高い。

まず被害者の安全を確保するため、指導にスピードが求められる。また加害者は教師にも反抗的だったり、学級内で影響力をもっていたりする。教師にも負けないだけの指導力が必要だ。保護者にも適切な説明が求められる。他の生徒が加害者に流されないための方法を事前に道徳などで話し合わせ、いじめの広がりを防いでおく。

これは新任の先生が一朝一夕で対応できるものではない。経験のあるベテランでも指導力がない人はいる。**学級担任が一人でいじめを解決できることはまれ**なのだ。

だから学校の**いじめ指導は、チームで行う**のが通常である。

まず、担任がいじめアンケートなどを使っていじめの情報を把握する。いじめの情報があれば、学年主任や生徒指導担当に報告する。いじめの聞き取りから、指導、家庭連絡まで学年の職員で分担する。指導経過は、管理職とも共有する。管理職は、教育委員会に指導経過を報告する。

このように報連相を徹底することで、個人の教師が問題を抱えることを防ぎ、いじめの解決に向けて協力して指導に当たるのだ。

しかし、残念ながら職員間の連携が取れていない学校はある。生徒指導ができない職員の割合が多い学校や、管理職の危機管理能力が低い学校などだ。職員同士の仲が悪かったり、担任がいじめを見逃していたりする。いじめの指導力は期待できない。

被害者やその保護者は、学校でのいじめ指導の正当性や教員の質、関係性を判断するのが難しい。私のもとにも、学校のいじめ指導について多く質問が寄せられる。「担任の先生に相談しても動いてもらえない」「こんなこと学校にお願いしてもいいの？」など、不安を抱えながら過ごしているのが感じ取れる。

もし、学校のいじめ指導が進んでいなかったり、様子が分からなかったりするなら、早めに相談先を変えた方がいい。ひょっとしたら教師の連携不足や、指導力不足かもしれない。担任がダメなら、学年主任や教頭、校長など、指導に関わる人間を増やすと改善を期待できる。それでも学校が動かなかったり、穏便に済ませようとしたりするのなら、教育委員会に相談するのもありだ。相談は理不尽なクレームとは違う。遠慮はいらない。

また**弁護士や警察など、学校外の組織に助けを求めることも必要**だ。学校にも指導の限界があって、話の通じない加害者やその保護者に手を焼いているケースがある。正直言って、被害者から弁護士や警察に相談してもらえるのはありがたい。

本来なら、教育委員会がその橋渡しをすべきだ。被害者が泣き寝入りするしかない状況を変えるためにも、**いじめは「おおごと」にすべきである。**

One Point

いじめ指導で学校が動かないなら、子どもの命を守るために「おおごと」にすべき。担任がダメなら学年主任、校長、それもダメなら教育委員会。弁護士や警察に相談しよう。

海外のいじめ対策

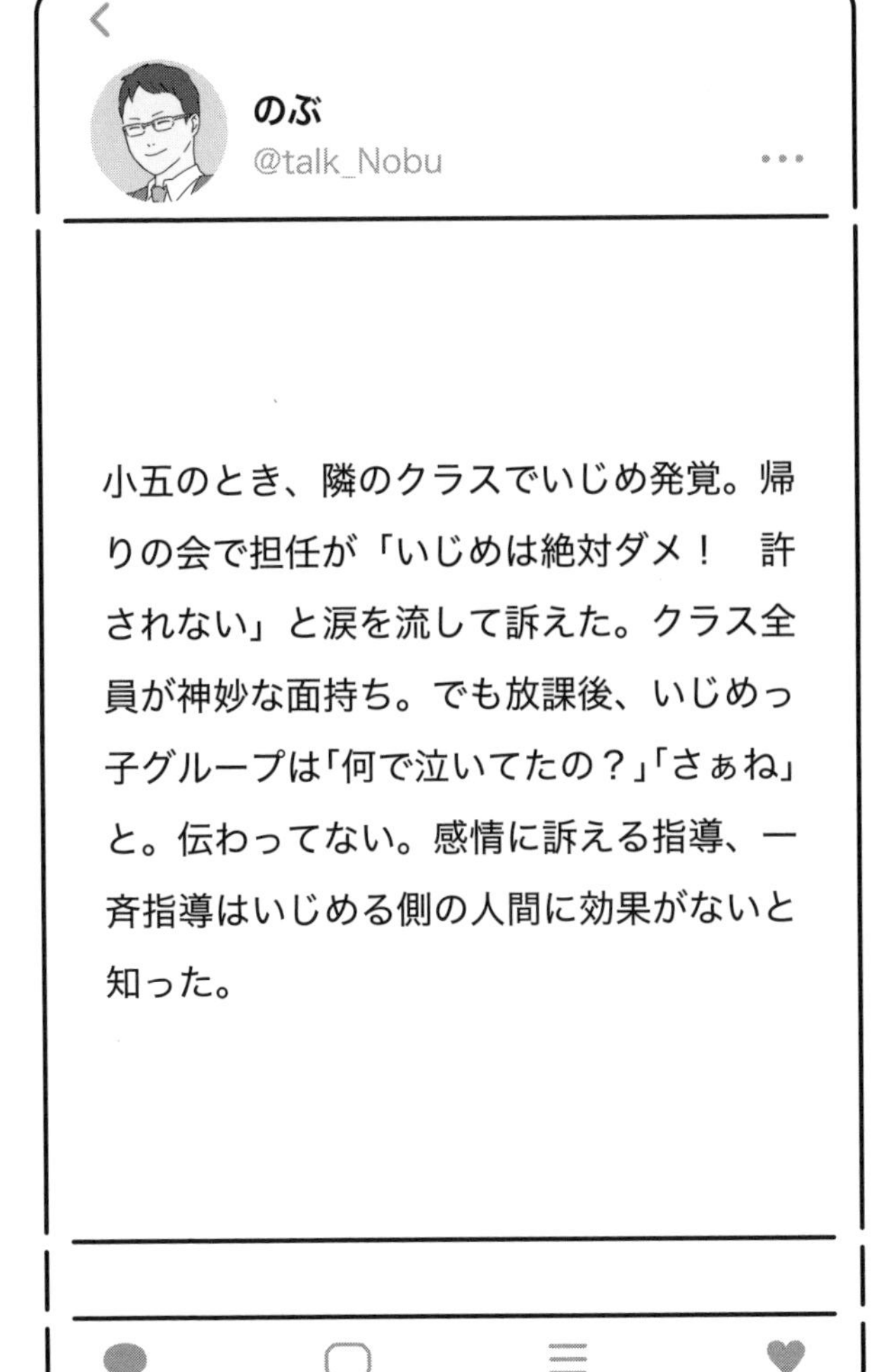
のぶ
@talk_Nobu
小五のとき、隣のクラスでいじめ発覚。帰りの会で担任が「いじめは絶対ダメ！　許されない」と涙を流して訴えた。クラス全員が神妙な面持ち。でも放課後、いじめっ子グループは「何で泣いてたの？」「さぁね」と。伝わってない。感情に訴える指導、一斉指導はいじめる側の人間に効果がないと知った。

海外のいじめ問題は、日本と比べてどう違うのか。

ユニセフは、世界の十三歳から十五歳の生徒の三人に一人がいじめられたことがあると、二〇一七年に発表した。男女ともにいじめられるリスクは同じだが、女子はより精神的ないじめに遭いやすく、男子は身体的な暴力や脅威にさらされやすい。

この調査を見ると、いじめの数や中身は日本と似ている点がある。海外も日本と同様に、子どものいじめは大きな社会問題なのだ。

日本との大きな違いは、諸外国では「加害者側に問題がある」として**加害者に転校やカウンセリングをすすめ、処分を下している**点にある。

二〇二二年二月、フランスではいじめ厳罰化を定める「いじめ防止法案」が成立すると報じられた。この法律では、**いじめが犯罪行為**だとみなされている。

・被害者が八日以上学校に行けなくなるようないじめがあった場合、加害者に対して禁錮最大五年、七万五千ユーロ（日本円で約一千万円）の罰金

・被害者がいじめが原因で自殺未遂や自殺をした場合、加害者に対して禁錮最大十

一年、十五万ユーロ（日本円で約二千万円）の罰金

海外では、同様に加害者に処分を定めている国がある。

イギリスでは、いじめ加害者側の親にも罰則を設けている。また学校には、いじめ対策のため防犯カメラが設置されている。中にはトイレや更衣室にもカメラを設置している学校がある。

アメリカは州によって対応は異なるが、厳しい州では、いじめを犯罪として扱い、たとえ**小学生でも犯罪歴がつく**。

韓国では、加害者の転校や退学処分が可能だ。

いじめを厳罰化している国では、いじめの発生件数が減るなど、一定の抑止力になっていることが分かっている。

一方で厳罰化の課題は、加害者が犯罪者となり、名前や顔、住所などを世間に公表されることだ。更生するチャンスが奪われ、社会復帰できない子どもたちが、犯罪に手を染める問題が起こっている。加害者を排除するやり方では、根本的な解決にならない。

フランスでいじめの厳罰化が議論されたきっかけは、いじめが原因で二人の少女が命を落とした事件だ。日本国内でも、いじめが原因で命を落とす子が後を絶たない。フランスのニュースを聞いて、日本でもいじめの厳罰化を求める声が上がった。

しかし、日本にはいじめの加害者を直接罰する法律はない。いじめの被害者が別室登校になったり、転校を余儀なくされたり、まだ被害者の立場が弱いのが現状だ。

逆を言えば、**加害者が守られすぎている。**加害者にも未来があるのは分かるが、まずは被害者の安全を優先すべきである。そして、第二の犠牲者を生まないためにも、諸外国のように加害者には適切な罰則や支援を与え、更生させる必要があるのだ。

One Point

「加害者側に問題がある」として、加害者やその保護者にカウンセリングをすすめ、処分を下す。この考え方は、日本のいじめ指導でも基本スタンスにすべきだ。

日本のいじめと法律

いじめっ子を出席停止処分にしたとき、正直学校の雰囲気がよくなった。学級で普段よりのびのび活動できる。あの子に気を遣わなくていい、おびえなくていい、攻撃される心配がない。安心感が伝わってくる。それだけいじめっ子の影響力は大きい。学校に残すべきは、いじめをしていない子どもたちです。

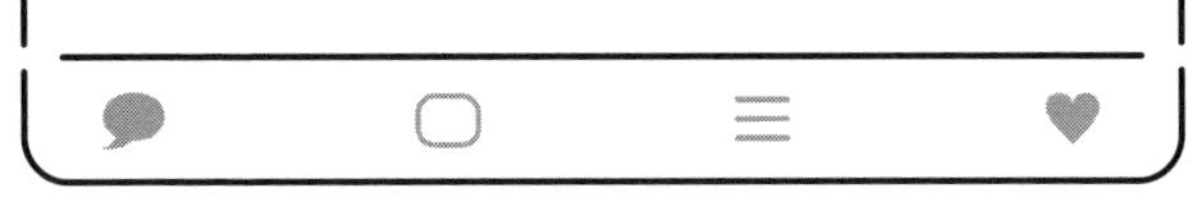

日本の法律では、いじめの加害者にどのような処分が可能なのか。また、どんな手段で被害者を守ることができるのか。実現可能な方法を紹介したい。

日本には「いじめ防止対策推進法」という法律がある。この法律は、大津市で起きた中学生のいじめ自殺事件をきっかけに成立した。加害者への処分についても、明記されている。そこで注目すべき四つの条文をあげる。

---

①第二三条 四　学校は、前項の場合において必要があると認めるときは、いじめを行った児童等についていじめを受けた児童等が使用する教室以外の場所において学習を行わせる等いじめを受けた児童等その他の児童等が安心して教育を受けられるようにするために必要な措置を講ずるものとする。

②第二三条 六　学校は、いじめが犯罪行為として取り扱われるべきものであると認めるときは所轄警察署と連携してこれに対処するものとし、当該学校に在籍する児童等の生命、身体又は財産に重大な被害が生じるおそれがあるときは直ちに所轄警察署に通報し、適切に、援助を求めなければならない。

③第二五条　校長及び教員は、当該学校に在籍する児童等がいじめを行っている場合であって教育上必要があると認めるときは、学校教育法第一一条の規定に基づき、適切に、当該児童等に対して懲戒を加えるものとする。

④第二六条　市町村の教育委員会は、いじめを行った児童等の保護者に対して学校教育法第三五条第一項（同法第四九条において準用する場合を含む）の規定に基づき当該児童等の出席停止を命ずる等、いじめを受けた児童等その他の児童等が安心して教育を受けられるようにするために必要な措置を速やかに講ずるものとする。

各条文の中身を要約すると、①被害者の教育を受ける権利を守るため、加害者を別室にすること。②犯罪行為は、速やかに警察と連携すること。③必要に応じて、いじめ加害者に適切な懲戒を加えること。④被害者が安心して生活できるように、出席停止などの措置をすることが述べられている。

法律上では、被害者が安心して教育を受けられることが優先で、学校や教員、教育委員会は加害者に対して然るべき措置を講ずるべきだと記されている。繰り返しになるが、日本の学校でも、被害者の教育を受ける権利が守られるべきなのだ。

しかし、現状は違う。いじめの加害者が普通に登校し、教室で授業を受けていて、被害者が別室登校や不登校になるケースが多い。令和三年度の文部科学省の調査によると、全国の小中学校でいじめを理由に出席停止処分となった児童生徒は一人。いじめを理由に不登校になった児童生徒は五百十六人。その差は歴然だ。

日本にも被害者を守る法律は存在するのに、知らない教員、保護者、子どもが多い。正しい知識をもって現場で活用しなくては、被害者の安全を守れない。犯罪行為に警察が動くという認識をもつことも大切だ。子どもにとって学びになる。学校が渋っていても、被害保護者は遠慮せずに警察を頼るべきだ。

One Point

加害者を別室に入れること。必要に応じて出席停止を命じること。いじめが犯罪行為の場合は警察と連携すること。全て法律に書いてある。公立でも可能な対応だ。

被害者を守れる学校を目指す

過去に生徒がいじめで自殺した学校で、校長が必ず保護者にする話がある。「我が校には忘れることの許されない過去があります。いじめが原因で、生徒が自ら命を絶ちました。いじめは命を奪います。私も校長として、いじめと真剣に向き合います。指導では出席停止の措置を取ることもありますが、ご理解下さい」。

海外のように、日本でも「被害者を守れる学校」は目指せる。
そのためには、「いじめ防止対策推進法」に書かれている、「加害者の別室指導と出席停止」の積極的な活用が不可欠である。この二つの措置が被害者を守り、また加害者の行動を変えるために重要なのだ。

しかし、日本の学校は加害者の別室指導に難色を示す。ましてや出席停止処分は全く使われていない。いじめの被害者が年間五百十六人も不登校になっているにもかかわらずである。

なぜ、学校はここまで加害者に処分を下すことに後ろ向きなのか。大きく二つの原因がある。

一つは、**加害者本人とその保護者による反発があるから**だ。加害者側も、学習する権利を主張する。それを退けるだけのいじめの証拠や教師の気力、管理職の覚悟が足りていない。教室に行けない被害者に寄り添って、別室で対応する方が簡単なのだ。

もう一つは、**教員に別室指導や出席停止を行うノウハウがない**ことだ。「いじめ防止対策推進法」ができたのは二〇一三年のこと。そこから出席停止は年一例あるかないかだ。学校にも指導の流れや手立てを経験している人材はいない。また加害者の別室指導も現場ではまだ珍しい。教師が知らない指導方法は、使われなくて当然だ。

加害者に処分を下すための課題を整理すると「保護者の理解を得られないこと」「指導方法が共有されていないこと」の二つだ。実はこの課題を解決する方法がある。それは**「いじめ指導のフローをマニュアル化し、あらかじめ保護者に周知する」**ことだ。

過去に生徒がいじめで自殺した学校に勤めたことがある。当時は大きなニュースになった。事件を知っている管理職、職員は、いじめに対する危機感と覚悟が違った。校長室には事件を忘れることのないよう、自殺した生徒の写真が置いてある。

その学校では、いじめ対応は細かくマニュアル化されていた。いじめがあった場合は、加害者を別室に入れて個別に聞き取る。聞き取りは全職員で分担する。事実確認が取れるまで、被害者とは接触させない。その後は家庭連絡と保護者面談をする。反省の様子が見られず、いじめを繰り返す恐れがあれば、加害者は別室登校させる。別室ではスクールカウンセラーとの面談や学習も、空いている職員で対応した。

そこまでしても改善せず、繰り返し加害行為をする場合には、出席停止処分も経験した。出席停止のときは、担任が家庭訪問してケアに当たっていた。

さらに保護者の理解を得るために、校長や生徒指導担当が入学式や保護者総会などでマニュアルを説明していた。教師と保護者が同じ認識をもっておくことで、いざ指導の場面になったときに不信感をもたれなくなる。**たとえ加害者の保護者が反発しても、被害者やその他の保護者が味方になってくれる**のだ。

「被害者を守れる学校」を目指すためには、いじめに対して先手を打たなくてはならない。学校がいじめに対して、積極的な指導の姿勢を見せることが大切だ。

One Point

いじめへの毅然とした指導に対して、保護者の理解・協力を得るためには、学校内の体制や指導方針をマニュアル化して、事前に保護者へ周知することが不可欠だ。

Column

クラスはどう決まるの？

「どうやって新しいクラスが決まるのか？」という疑問に、中学校の一例を表にまとめた。私が勤めた一学年三クラス以上ある学校では、この決め方だった。学級は一度発表するとほぼ変更できないので、慎重に議論を重ねる。

新しいクラスを考えるときに一番重要な情報が、子ども同士の「人間関係」だ。特に過去にトラブルになった生徒の情報は、次の学年に正しく引き継ぐ必要がある。

しかし、教師の不手際で、いじめがあった事実ですら伝わらないことがある。教師がいじめと気づいていない場合もあるが、特に小学校からの中学校への引き継ぎが危険で、小学校六年生以前のトラブルが伝わらないことも多い。中学校に入ってから、実は過去にトラブルになっていた、と保護者から話を聞くことがある。

学校が学級編成に取り掛かるのは、三月に入ってからだ。三月末のぎりぎりまで会議をしている。もしいじめや不登校などで、学級編成に不安がある保護者がいるなら、三月までに学校へ相談するのがいい。保護者しか知らない情報

新クラス編成の流れ
（中学校の一例）

①男女別にしてテストの平均点が同じになるように分ける
↓
②男女別に過去にトラブルがあった生徒を離す
（一番時間をかける）

↓
③男女別にその他の人間関係をみて調整する
（孤立やトラブルが起きないか配慮）

↓
④リーダーなどのバランスを見て男女を合体する
↓
⑤ピアノができる生徒を各クラス1人配置する
（合唱コンクールのため。いない場合はアカペラ確定）

↓
⑥男女で過去にトラブルがあった生徒を離す
↓
⑦全体の人間関係をみてバランスを確認▶完成！
（トラブルや担任の負担を考慮）


や、過去のトラブルで心配な内容を聞けるのは、学校としてもありがたい。学級の数が決まっていて、全ての要望を聞き入れることは難しいが、最善を尽くしてもらえるはずである。

他にも、兄弟やいとこは分ける、ピアノが弾ける生徒や学級のリーダーになりそうな生徒をバランスよく配置する、などの細かい配慮をして学級が完成する。

担任の決定は、新しいクラスが決まった後のことが多い。三月末になると、校長が翌年度の職員の役割分担（校務分掌）を発表して、担任をもつ教師が分かる。その後、できあがったクラスを見ながら、教師と生徒との相性を考えて担任を決めるのだ。

それでもクラスや担任を固定していると、学級崩壊やいじめで苦しむ生徒が出てくる。世の中には、大学のように授業のある教室に生徒が移動する方式や、担任を固定しない全員担任制によって、トラブルを防ぐ工夫をしている学校もあるのだ。

Chapter 5

仕事を増やし続ける管理職教師

「子どものために」という押しつけ

優秀な管理職は、子どものために「新しく斬新な取り組みを生みだせる人」ではない。「古くて無駄な慣習を見直せる、減らせる人」だ。「子どものために」と新しいことを始めるのは簡単。誰でもできる。逆に古い慣習を変えるほうが大変。職員や地域への根回しなど、リーダーシップが求められる。

学校の先生は責任感が強い人が多い。教員の不祥事がニュースになることもあるが、そんな人は本当にごく一部だ。志が高く、子どものために精一杯働いている人がほとんどである。

そんな教師にとって**「子どものために」という言葉は呪縛**だ。「子どものために」休みなく働く。プライベートを犠牲にする。自分の家族よりも優先させる。それが学校では当たり前で、「子どものために」遅くまで残って頑張っている人がいい先生、といった価値観がまだある。働き方改革が進まない原因の一つだ。

本来なら管理職が、各職員の勤務状況を把握し、適切な業務量に調整する役割を担っている。しかし、**長年学校で働いてきた管理職は、学校の「子どものために」を優先すべきだと思考が凝り固まっている。**よく分かるエピソードを二つ紹介したい。

一つ目は、地域活動の参加だ。学校では、地域連携というねらいで、ＰＴＡ委員会や学校運営協議会など、地域の保護者や住民の方と一緒に活動することがある。

そこでは「子どものために」という合言葉のもと、様々な活動が生みだされる。朝のあいさつ運動、登下校の指導、地域祭りの見回り、地域花壇の花植え、公園の清掃活動など多岐にわたる。

そして、これらの活動に教師はボランティアで参加する。手当はつかない。土日の活動に参加しても、代休はもらえない。勤務でもないボランティアを、管理職は職員へ「子どものために」お願いと称して強制してくる。理由もなく断れば、周りの職員からも変な目で見られる。「土日はゆっくり休みたい」なんて、通用しない世界なのだ。


二つ目は、学校行事への参加だ。教員間でよくある話が、自分の学校の行事と、自分の子どもの行事が重なることだ。特に、入学式と卒業式はその可能性が高い。

入学式も卒業式も、わが子にとっては一度きりの行事であり、成長の節目を見ようと多くの保護者が参加してくる。そして、その想いは子どもをもつ教師とて同じだ。

しかし、管理職からはわが子よりも学校を優先するように求められる。特に、入学式の一年生担任や、卒業学年の担任は休ませてもらえない。

保護者や生徒の目を気にしているのだろう。学校がどれだけ入学式や卒業式を大切にしているかも、理解できる。それでも「子どものために」という理由で、わが子の式に出られない教師を何人も見てきた。**「自分の子どものために」を優先するのがわ**

がままな行為だと思わない。教師の代わりはいくらでもいるが、親の代わりはいないのだ。

学校が忙しくなると、子どもの負担も大きくなる。学力向上や地域貢献、行事や部活動。子どもは本当に忙しい日々を送っている。「子どものために」やることを増やすのは、子どものためになっていない。手段が目的化しているのだ。

学校経営での校長の裁量は大きい。子どものために優先順位をつけて、業務を削減できるはずである。この章では過去の慣習を見直すことができない管理職、ベテラン教師に焦点を当てて、教師や子どもに与える影響を考えていく。

One Point

「子どものために」と教師のやりがい搾取(さくしゅ)を続けていては、現場は疲弊し、働き方改革は進まない。教師の余裕がなくなれば、結果「子どものために」働けなくなる。

過熱しすぎる行事

体育祭の異常さが伝わらないけど、もし「数学祭」やってさ、保護者や生徒が観戦する中、数学のテスト。全員の前で個人結果と順位を発表。平均点が高いチームから得点が入る。二週間前から毎日、苦手な子はチームのプレッシャーを受けて練習。数人は練習不適応で保健室。やばい行事だ思う。体育祭も同じ。

学校行事は子どもが成長するチャンスだ。授業中とは違う子が活躍したり、人間関係のトラブルを乗り越えたりする。最後には大きな感動や達成感に包まれ、行事を通してドラマが生まれる。そして保護者も子どもの成長した姿を楽しみに見にくる。

先に言っておくが、私は行事が好きだ。私は生徒会の担当として、ずっと行事の企画運営を担当してきた。普段見られない楽しそうな子どもの姿や、成長する姿を見られる貴重な機会だ。だからこそ、持続可能で、全ての子どものためになる行事に改革すべきだ。

学校行事は、教師の手によって過熱しがちだ。教師は経験を積むほど何回も同じ行事を繰り返しているので、子どもに求めるものが多くなる。行事の内容を工夫し、より完成度を高くしようとする。そんな熱心な教師の姿を見て、管理職は「今までで一番いい」と評価する。それが教師の膨大な時間外勤務を生み、子どもに過剰な負担をかけていたとしてもだ。

行事が過熱すると起こる現象が二つある。体育祭を例に説明したい。

一つは、準備と練習時間の増加だ。

行事に求める内容を増やし、完成度を高めるためには長時間の準備や練習が必要になる。中学校の体育祭なら企画に一カ月、応援リーダーの事前準備に一カ月、そして全体練習で二週間はかかる。

その間、担当教員は日常業務に加えて準備に追われる。生徒も放課後や昼休みを潰される。お互いに余裕がなくなって、学級内で些細なトラブルが増加することも珍しくない。日常業務がおろそかになっては本末転倒である。

もう一つは、勝敗の目的化だ。

体育祭や合唱祭は、勝敗を競う場合が多い。教師がはっぱをかけて子どもに熱が入るほど、勝ちたい気持ちが強くなり、**一生懸命練習に励む。その一生懸命さが、練習に付いていけない子を追い込むことになる。**練習不適応を生みだすのだ。

人には得意不得意や、好き嫌いがあって当然である。しかし、得意な子にとっては、苦手な子はやる気のない、協力しない子に見えてしまう。声を出せない子に対して、繰り返し声出しの練習をさせたり、厳しい口調で指導したりする。

本来の学校行事の目的は「望ましい人間関係を形成する態度を育てること」なのに、

勝ち負けが絡むことで、真逆の方向へ進んでしまう危険があるのだ。

行事改革をしようとすると、「行事を減らしてやる気がない」「子どもがかわいそう」などと、前例踏襲のベテラン勢から批判される。しかし、それは的外れな指摘だ。**行事を減らすのではなく、本来の目的に合わせて作り直す**のである。長時間の練習も、勝ち負けのプレッシャーも必要ない。教師が無理することもない。日々の授業や、最小限の準備で行ったレクリエーションでも目的は達成できる。持続可能な方法で、本当に全ての子どもが参加できる活動にしてほしい。

One Point

行事改革の方向性は、過去と比べた完成度が重要ではない。本来の目的である「望ましい人間関係の形成が達成できるかどうか」を議論の中心にすべきである。

子どもは感動を生みだす道具ではない

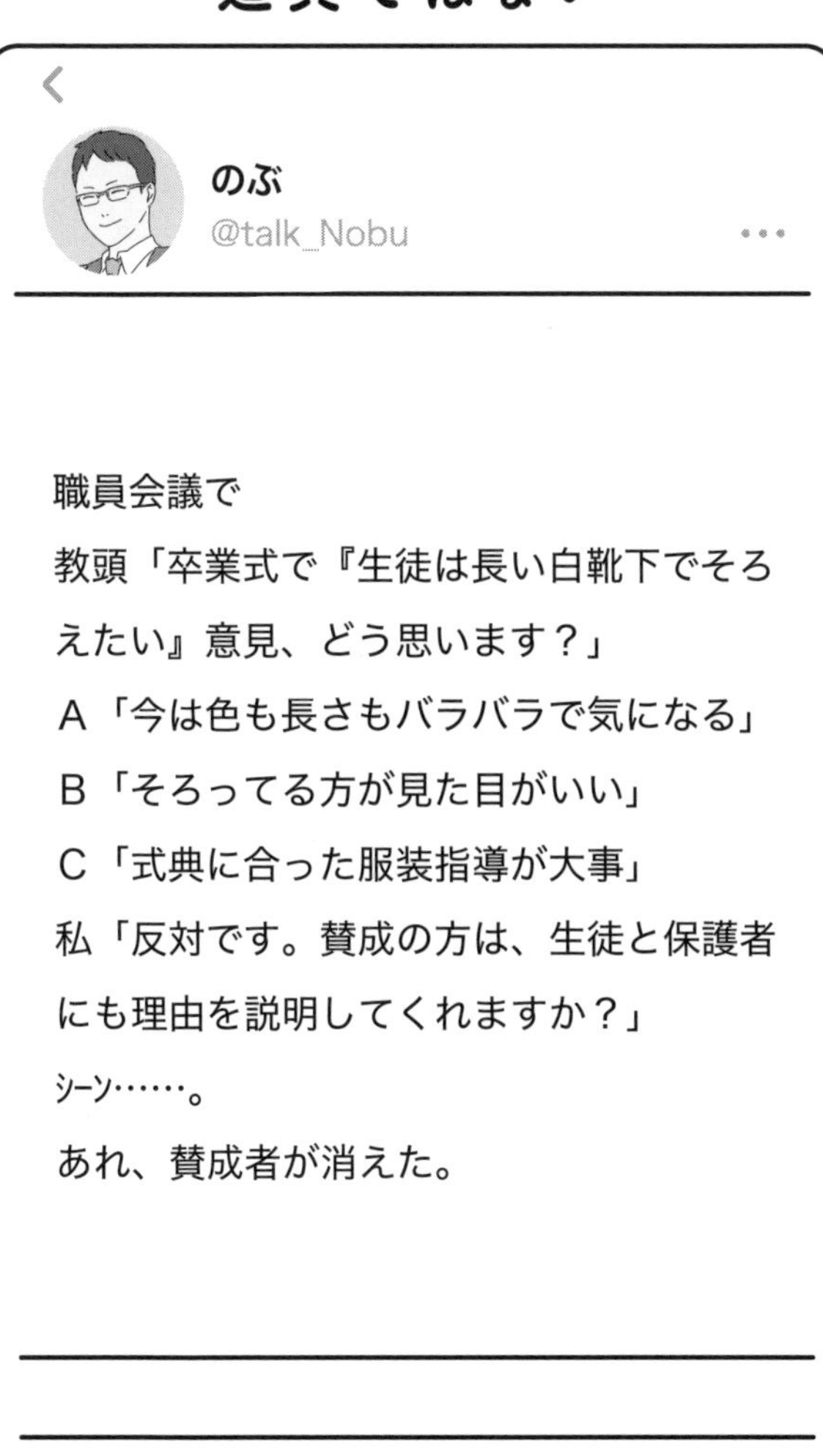

のぶ
@talk_Nobu
職員会議で
教頭「卒業式で『生徒は長い白靴下でそろえたい』意見、どう思います？」
A「今は色も長さもバラバラで気になる」
B「そろってる方が見た目がいい」
C「式典に合った服装指導が大事」
私「反対です。賛成の方は、生徒と保護者にも理由を説明してくれますか？」
シーン……。
あれ、賛成者が消えた。

行事が過熱していく原因に、終わったときの大きな達成感がある。体育祭や合唱祭、卒業式。準備から苦労を重ね、本番をやりきった後の子どもたちの姿、笑顔や涙は感動的だ。教師も親もその姿に感動して、一緒に涙を流すこともある。

こんな感動を経験してしまうと、次も子どもや保護者に同じ感動を与えたいと力が入る。教師の想いが先行して、子どもへの要望が増えていくのである。

ベテラン教師、管理職がこだわるポイントが、集団の統一感だ。

例えば体育祭の入場行進だ。中学校では、体育大学出身の体育教師が練習を仕切ることも多い。足のあげ方から腕の振り、隊列のそろえ方まで細かい指示が飛び、まさに軍隊のような行進の練習が行われる。

列を乱したり、動きが小さかったりすると怒鳴られる。子どものやる気を出させるために、行進の出来栄えを得点に入れる学校もある。そんな力技でそろえた行進を、満足げに保護者や地域に披露するのである。

私はこの入場行進が全く無駄だと思っていた。完全に大人の自己満足である。だから体育祭から入場行進をなくした。何も問題ない。開会式の隊形で並んで始めればいいのである。練習時間も減るし、当日の日程も短縮できる。いいことばかりだった。

行事の中でも、特に統一感が重視されるのが卒業式だ。

卒業式が生みだす感動は、他の行事と比べ物にならない。学校生活の集大成として、保護者に子どもの良い姿を見せようと気合が入る。外部からの来賓の人数も多いので、教師も管理職も完成度にはこだわって練習する。この練習内容が異常だった。

イスから立つタイミングやスピード、立ち方、礼のタイミングや角度、戻る時間まで、事細かに指示される。さらにイスに座っているときは、正しい姿勢を取り、動くことが許されない。全員がそろうまで繰り返し練習する。タイミングがずれる人がいれば、見張っている教師に怒鳴られる。

こんな理不尽な訓練を一時間、極寒の体育館でやる。中学三年生は入試前なのに、授業を潰して何時間も練習するのだ。暖かい教室で勉強した方がいいだろう。

二〇二一年三月には、新型コロナ感染症の対策で、練習も集まって行えない学年があった。クラスで数回の練習のみ。それでも全体の会は成り立ち、立派に成長した子どもの姿を見て保護者は感動していた。統一感を出す練習は無駄な時間だと分かったのだ。
また、**ベテラン教師や管理職は、見た目もそろえようとする。**髪形はもちろん、服装は式典用に厳しくチェックする。女子は体育館で膝立ちし、スカート丈を測られて、少しでも短い生徒は直すように指示される。靴下の長さや色までそろえようという管理職までいた。**そんなこだわりは、大人の自己満足**である。子どもには迷惑な話だ。

軍隊のように一糸乱れぬ行動は、見た目に美しいのかもしれない。しかし、行事の目的は、団体行動を身に付ける場でも、それを地域の方や保護者に発表する場でもない。**学校の見栄のために、子どもを利用するのはやめさせるべきだ。**

One Point

行事は教師の作品発表会ではない。親はわが子の楽しそうな姿、頑張っている姿、普段と違う表情など、学校での様子が見られるだけで満足なのだ。

「例年通り」は思考停止と同じ

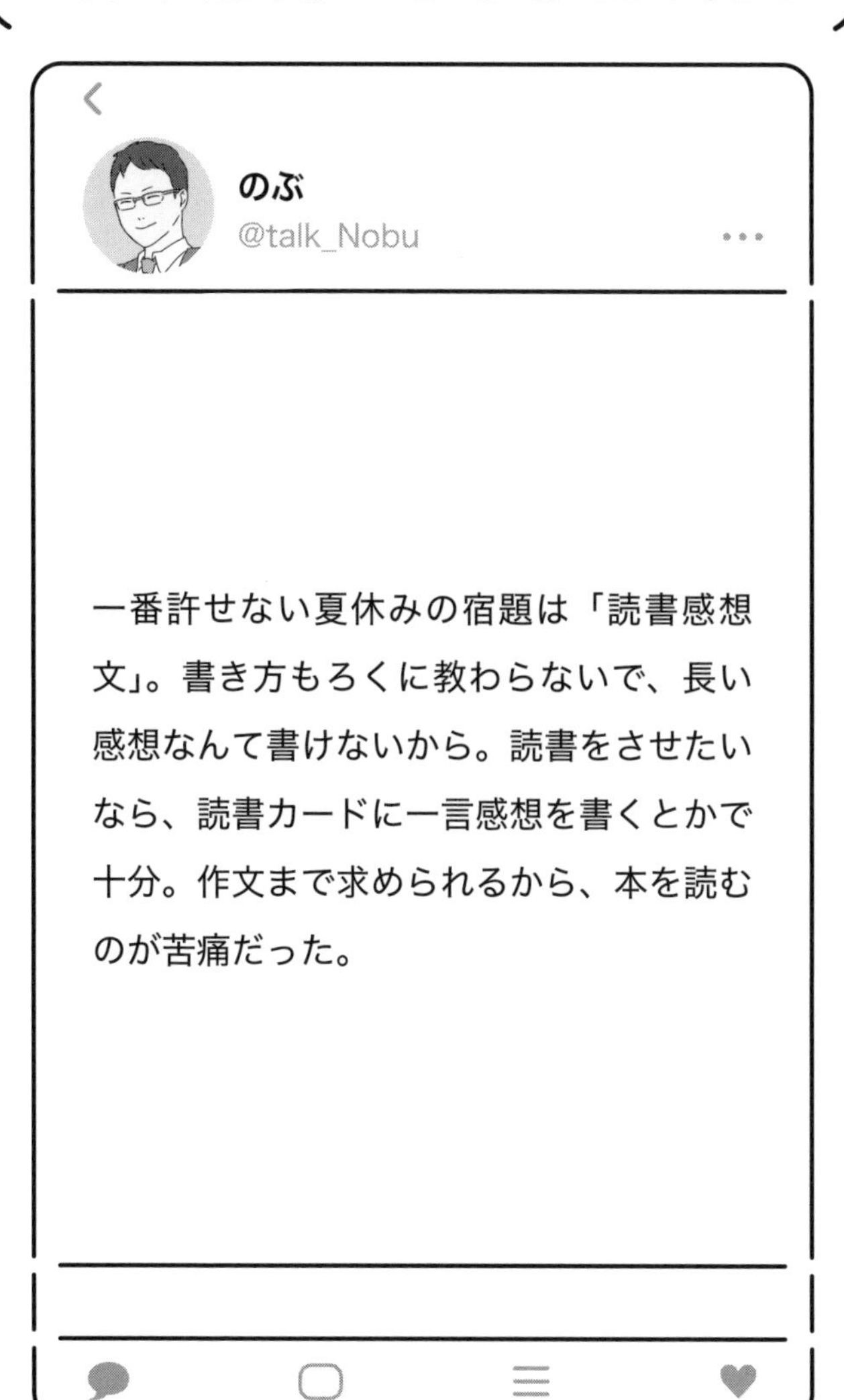

のぶ
@talk_Nobu
一番許せない夏休みの宿題は「読書感想文」。書き方もろくに教わらないで、長い感想なんて書けないから。読書をさせたいなら、読書カードに一言感想を書くとかで十分。作文まで求められるから、本を読むのが苦痛だった。

毎年出される夏休みの宿題。どうやって宿題内容を決めているのかというと、**ほとんどの学校は、前年度の宿題範囲表を再利用して、年度と日付、ページ数を変更するだけだ。**子どもは気づかないだろうが、毎年同じような内容が繰り返し出されている。だから読書感想文や絵日記、自由研究や問題集のように、親が学生時代にやっていた宿題でも、夏休みの定番として残っている。

夏休みの宿題が導入された当時は、明確な意図やねらいがあって、それなりに教師側も力を入れて準備したのだろう。しかし、今は完全に形骸化している。宿題を出すことが目的となり、授業で十分にやり方を教えなくても、読書感想文や自由研究を出す。当然、子どもも宿題の意図を理解していない。親が知恵を出して手伝ったり、自腹で関連する書籍を買ったりして乗り切る。**勝手に宿題を出して、家庭の教育力にまかせるなどおかしな話である。**家庭環境によっては、何もできない子が出てくる。

夏休みの宿題の話は、前例踏襲が生みだす悪い例の一つだ。

他にも学校では、各行事の計画や校則、委員会活動、清掃の決まり、そしてＰＴＡ活動など、前年度の資料が残っているものは、ほぼ同じ内容が使われる。活動のねらいから当日の流れ、準備スケジュールまで、何も変わらない。変わるのは日付くらいだ。資料は職員会議の中で検討されるが、議論の中心は「いつ、誰が、何をするか」だけである。毎年同じ活動を繰り返すことに、誰も疑問を抱かない。**「何のためにやるのか。本当にやる必要があるのか」など、活動の目的に言及されることはない。管理職も含めて、「例年通り」で思考が停止しているのだ。**

民間企業でも、資料を使いまわすことがある。しかし、基本は市場の変化に合わせて、ブラッシュアップが必要だ。情報が古ければ、役に立たないのである。資料に寿命があるし、いつ寿命を迎えるのかも分からない。昨日使えた資料が、今日使えなくなることも考えられるのだ。

対して学校では、資料に必然的な寿命はない。学習指導要領が変われば授業内容を変える必要がある。それでも学習指導要領は十年に一度しか変更されない。学校で一番重要な授業ですら、十年変わる必要がないのだ。

先にあげた行事、校則、ＰＴＡ活動などは、学校に全て計画が任されている。**変わろうと思わなければ、永遠に例年通りで進められる。**日々の多忙な業務の中で、わざわざ苦労して変えようとする人は少数だ。今まで通りの流れでやるのが、一番負担がないと思われている。

しかし、それは誤解だ。「今まで通り」で負担がないのは、資料の作成だけである。活動を見直さなければ業務は減らないし、目的が明確でない活動は、ただの面倒な作業になる。何もしないことが、結果的に自分の首を絞める。後々の負担を減らすためには、計画段階で一番労力をかけるべきなのだ。

「現状維持は衰退と同じ」。民間企業も学校も同じことが言える。現場の負担を減らすためにも、新しいことを始めるだけでなく、思い切って止める選択を重視したい。

One Point

検討する時間がないことを理由に、「例年通り」で進めては業務が改善されない。時間を生みだすためにも、教師と子ども両方の負担軽減を考えた見直しが必要だ。

「学校の伝統を守る」の本音は？

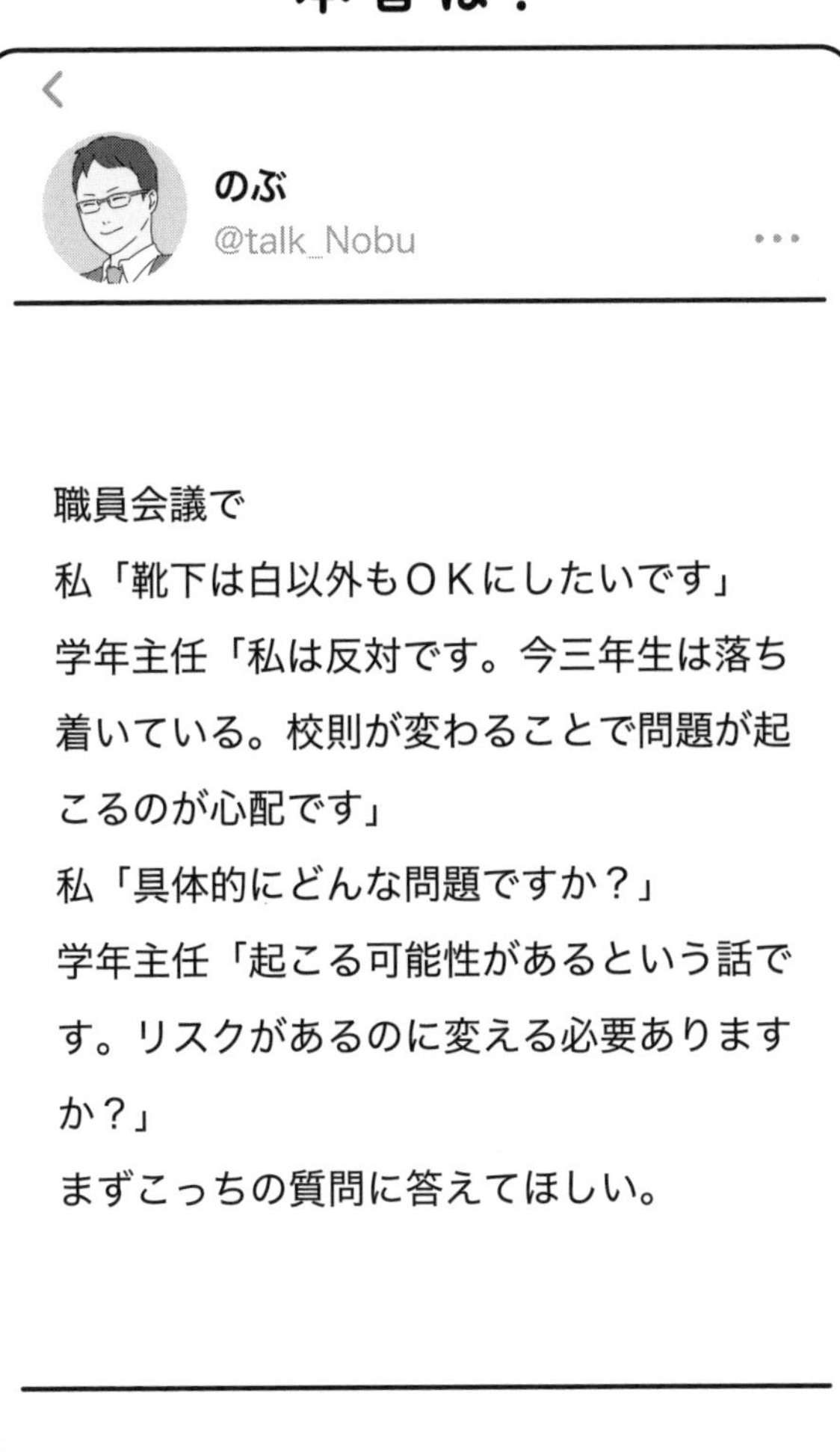

のぶ
@talk_Nobu
職員会議で
私「靴下は白以外もＯＫにしたいです」
学年主任「私は反対です。今三年生は落ち着いている。校則が変わることで問題が起こるのが心配です」
私「具体的にどんな問題ですか？」
学年主任「起こる可能性があるという話です。リスクがあるのに変える必要ありますか？」
まずこっちの質問に答えてほしい。

「学校の伝統を守る」ことに価値を感じない。

学校は外的要因によって変わる必然性がないので、時代にそぐわない伝統が山ほど残っている。さらに学校の職員は数年間で入れ替わるため、過去の活動やルールが生まれた目的を誰も知らない。

だから**「なぜ始まったのか知らないし、必要性もないけど、何となく続いている」という伝統が多い。そんな不毛な活動、ルールはすぐに止めるべきだ。**


例えば、私の勤めた学校は学級花壇の整備にとても力を入れていて、毎年のコンクールへの出品が伝統だった。この伝統を守るために、花壇整備から毎日の水やりに膨大な労力が必要で、子どもにも教員にも大きな負担となっていた。

きっと最初はコンクールに出品することを目標に、教師、生徒が協力して始めた活動だったのだろう。達成感など教育的効果もあったはずだ。

しかし、教員も生徒も入れ替わり、伝統の花壇づくりを続けることが目的になっていた。やらされ感のある生徒は、花壇の整備や水やりをさぼるので、余計な指導が増えるだけ。**「伝統」なんてもので、人は動かせない**のである。

幸い、私が異動して二年目には、管理職と協力して大幅に花壇を縮小できた。コンクールへの出品も止めた。おかげで学校には、大きな時間のゆとりが生まれた。

校則や学校のルールも、伝統として残りやすい。

仮に新しい校則ができたとする。中学校に入学した生徒が卒業するまでの三年間守らせることができれば、その後は「学校の伝統ルール」に変わる。入学時から当たり前にあるルールだから、生徒は多少おかしな校則でも受け入れる。

伝統にしておいた方が、教師の指導は楽になる。「靴下の色は白のみ」といった時代遅れなルールですら、「今までの先輩もそうしてきた」「学校の伝統だから」と理由をつけて指導ができるのだ。

「学校の伝統を守る」と言っている管理職や教員の本音は、「伝統を変えるリスクを取りたくない」ことだろう。大人だって、知らない誰かが作った伝統に誇りや愛着をもつのは難しい。ましてや同じ学校に勤めるのは数年間だ。伝統を変えるリスクを取るよりも、「今のまま無難に過ごしたい」と考えてしまう。

繰り返すが、そんな「学校の伝統を守る」ことには教育的価値を感じない。大人も子どもも思考停止しているだけだ。時代に合わない伝統は、学校にとってマイナスに働く。

私は生徒会担当として、子どもと一緒に伝統を「作り変える、新しく作る」ことを重視してきた。時代や現状に合わせた自分たちの文化を作り、学校の伝統にしていく営みにこそ、教育的価値がある。子どもたちはより良い学校生活を目指し、主体的に行動する。自分たちが学校の伝統を作ることで、誇りをもって生活できるのだ。

たとえ新たな伝統ができたとしても、次の世代が守る必要はない。重要なのは伝統を作るプロセスだ。ただ伝統を守らせることは、貴重な学びの機会を奪っている。

One Point

学校の伝統は、子どもと目的を共有して一緒に作るもの。一方的に押しつけても「守りたい」という意識は生まれない。時代に合わせて変わっていくのが当然だ。

教師が定額働かせ放題になる原因

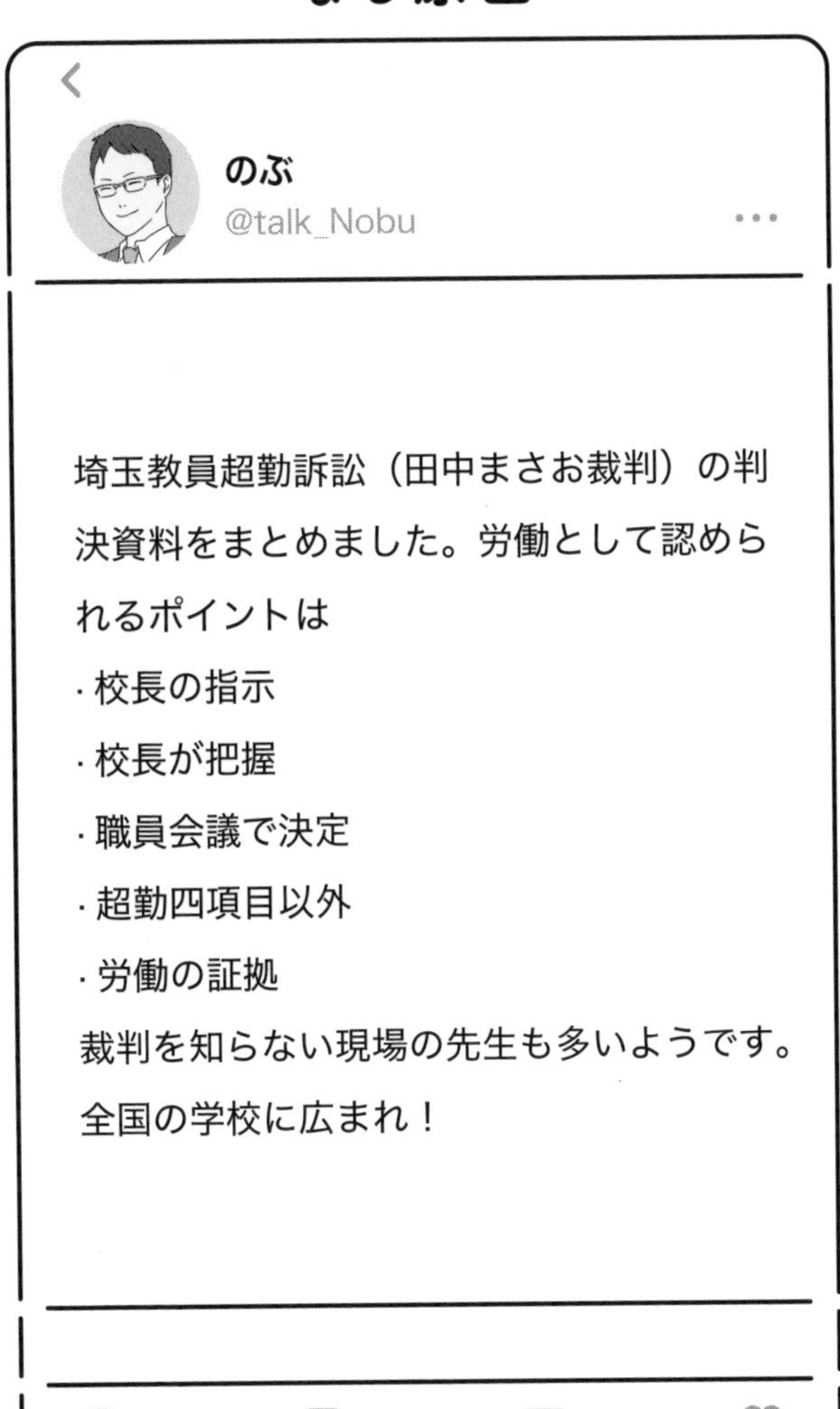

公立学校の教員には残業代が支払われない。この事実は、子どもはもちろん、保護者にも意外と知られていない。

なぜ残業代が支払われないのか、教員でも正しく理由を説明できない人がいる。元凶は、「公立の義務教育諸学校等の教育職員の給与等に関する特別措置法」、略して「給特法」という法律の存在だ。**公立教員は、法律に「残業代は払わない」と明確に示されているまれな職業**なのだ。

給特法には、給料の四％を教職調整額として支給する代わりに、残業代は支給しないと定められている。四％という数字は、月八時間程度の残業代。**給特法が作られた、約五〇年前の平均残業時間から算出されている**。

今の教員はたった八時間分の手当で、その十倍以上の残業を行っている。時代に合っていない「給特法」の存在は、ある裁判で大きな話題になった。

その裁判は、埼玉県内の公立小学校の教員によるものだ。労働基準法に定められた時間外労働に対する割増賃金が一切支払われていないのは違法だと、時間外労働に対する未払い賃金の支払いを求めたものである。

裁判では二〇二一年十月の一審、二〇二二年八月の二審ともに敗訴。給特法の壁の高さが再認識された。

しかし、一審の判決文の付言には「給特法を含めた給与体系の見直しなどを早急に進め、教育現場の勤務環境の改善が図られることを切に望むものである」と記載されるなど、学校現場の働き方を問い直す流れを強めるきっかけにもなった。

「給特法」の見直しは、二〇二二年十二月、文部科学省で有識者会議が始まったばかりである。今後の動向も注視したい。

裁判の判決文でもう一つ大きな話題になったのが、今回の裁判で認められた教員の労働時間だ。宿題の点検や保護者対応など、**教員が日常的に行っている多くの業務が労働時間と認められず、自発的な活動とみなされた**。

「給特法」では、教員に時間外勤務を命じることができる「超勤四項目」がある。「①実習に関わる業務」「②学校行事に関する業務」「③職員会議に関する業務」「④非常災害等やむをえない業務」の四つだ。

この四つ以外は原則として時間外勤務を命じないとされており、それ以外の理由で残業をする場合は教員の自発的な行為とされる。「勤務時間内に仕事を終わらせろ」ということだろうが、授業や担任業務、保護者対応、そして部活動。残業するなというのが無理である。業務を減らすか、残業をするかの二択なのだ。

「給特法」が変わらない以上、管理職、職員ができる働き方改革は、業務を減らすしかない。それは手を抜くことではなく、正しい労働環境を目指すことである。子どもの最も身近な大人の職場環境が、ブラックのままでいいはずがない。これまでも述べたように、不要な仕事はたくさんある。決断するのは管理職だ。

One Point

労働基準法が全く守られない、ブラックな労働環境の学校で、子どもがキャリア教育を受ける。そんな状況で正しい労働者の権利が学べるとは思えない。

Column

ちゃんとしたお弁当って何？

お弁当について、担任と保護者がもめた事件があった。スーパーで買ったお惣菜を容器のまま持ってきた生徒がいた。その様子が気になった担任が母親に電話した。担任の主張は「他の生徒が真似をすると困る」というものだった。話の流れで担任が「ちゃんとしたお弁当をもたせてほしい」と口にしたところ、母親が激怒。「ちゃんとしたお弁当って何ですか⁉」と校長室にまで訴えてくる事態に発展したのだ。

この事件をツイートしたところ、「日本はお弁当に高いレベルを求めすぎ」と多くの反響があった。主菜と副菜のバランスや、栄養も考えられている。お弁当箱や中身の見た目にも気を遣う。おかず作りを助けてくれる冷凍食品のクオリティも高い。

対して、海外のお弁当は驚くほど簡単なもの。アメリカでは主食にサンドイッチ、サイドメニューにはスナック菓子や、生の野菜、果物。それらをプラスチック容器や食品用の袋に入れて持参するのが主流で、カナダやオーストラリア、ヨーロッパでも似たようなスタイルらしい。

日本人からは手抜きと言われそうな内容だが、逆にアメリカ人から言わせると、日本のお弁当は手をかけすぎている。お弁当は食欲を満たすのが目的で、愛情を伝える道具ではない。子どもへの愛情は他の方法で十分伝えられるし、栄養だって夕飯でまかなえばよいという考え方だ。合理的で親の負担も減らせる考えに共感する。

そう考えると、日本には「お弁当を作るのが親の愛情」という価値観すらある。キャラ弁が流行ったときは、過熱しないように禁止する幼稚園も出たくらいだ。手作りのおかずが好ましく、冷凍食品を使うのは少し手抜き、コンビニ弁当や菓子パンをもたせるのはダメ。だからコンビニ弁当やお惣菜を買って、わざわざ弁当箱に移す人もいるそうだ。何のための弁当なのか、目的が分からなくなっている。

親がお弁当を作るのは当然の役割で、お弁当を作ってもらえない子はかわいそう。こういった同調圧力は、全て余計なお世話だ。色々な家庭がある。それによって親のストレスがたまるなら、子どもにも悪影響だ。お昼をもたせてあげるだけで十分すごい。お弁当の見た目なんかで、愛情の深さは測れないのだ。

Chapter 6

なぜ学校は変われないのか？

学校改革を妨げる要因

古くから学校にある文化や「こうあるべき」という理想の子ども像、教師像から脱却できない人は、保護者、地域の大人にも多い。学校が地域行事の参加をやめようとしたとき、地域から反対された。行事に参加しないなら、学校に協力しないと遠回しに脅された。学校改革には時間と手間がかかる。

学校のブラックな労働環境はなぜ変わらないのか。原因を改めて整理すると、大きく二つに区別できる。**一つは「お金の問題」、もう一つは「人の問題」**である。

まずはお金の問題だ。お金があれば、人を雇える。物品を買ったり、設備を調えたりなど、できることが増える。

しかし、世界の国々と比較しても、日本の教育に対する公的支出は少ない。それに加えて、最近の少子化を理由に、財務省から教育予算が削られている。**未来を担う子どものために投資する意識がない。**国の姿勢には落胆してしまう。

地方自治体も財政状況は厳しい。最近は国の補助金で一人一台のタブレット端末が配られたが、自治体には高速ネットワークを整備するお金がない。**通信が不安定なので、せっかくタブレット端末を買ったのに、全校一斉に授業で使えない現象が起こっている。**お金がなければ、子どもの学習環境を調えられないのだ。

教育に予算を回す必要があるわけだが、これは一筋縄ではいかない。誰かが努力して、すぐに変わるものでもない。だから今回お金の議論はいったん止めておく。

それよりも学校現場が優先して考えるべきは、もう一つの「人の問題」である。人の問題とは、学校の変化を止めようとする人の存在だ。ここでいう「人」とは、管理職、教員、保護者、地域の人がいる。**各々がそれぞれの立場で、学校改革を妨げてくる。**

管理職や教員によって、古い慣習が守られていたり、一部の活動が過熱したりしている現状は先に述べた。時代にそぐわない校則は廃止すること、過熱する部活動や行事のあり方を見直すこと、例年通りで続いている活動を廃止することなど、職員の意識を変えることで学校改革はかなり進む。

次の課題は、保護者や地域の人の理解を得ることだ。

学校が今まであった活動をやめる決断をしたときに、「何でやめるの？」という疑問や、「子どもがかわいそう」という反発が出る。突然やめると言われたら、驚く人が多いのは当然だ。そのギャップを軽減するために、検討段階から保護者や地域の代表を巻き込むなど、管理職を中心とした丁寧な説明が求められる。

また、**保護者や地域の過剰な要望も、業務を増やす原因**だ。

保護者からは、勤務時間外の電話や面談の依頼がある。生徒が公園で遊んでいる、お店でたむろしているなどと学校へ連絡がくる。休日の地域行事への参加要請もある。限られた業務時間の中で、どこで線引きするのかは、管理職だけでなく、自治体の教育委員会から明確に示してほしい。

学校のブラックな労働環境を改善して、教師の魅力を高めることは急務だ。しかし、こんな話をしていると「先生が楽をするために、何で変えなくてはいけないのか」と言われる。これは大きな勘違いである。この章では、学校のブラック労働が教育界に引き起こす問題と、それに伴う子どもたちへの影響について述べていく。

One Point

施設面や設備面など、予算が関わる問題は改革に時間がかかる。優先すべきは業務負担の軽減や、ブラック指導の改善。人の意識を変えることで、実現できる改革だ。

担任不足、教員不足

教員不足を本気で解消するつもりなら、一年間担任を勤め上げた講師は、お願いしてでも正採用にすべきなんですよ。担任を持てないベテランも多数いる中、担任ができるのは即戦力なわけですから。担任させて、勉強する時間奪って、講師のまま都合よく使い続けてるのがセコい。人の人生を軽んじてる。

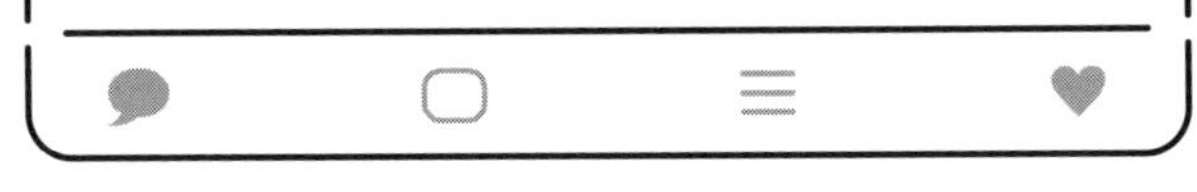

二〇二二年四月、文部科学省が「「教師不足」に関する実態調査」の結果を公表した。この調査では、全国の公立小中高校、特別支援学校で二千六十五人の教師の不足が分かった(二〇二一年度五月一日時点)。

学校現場から言わせると、調査結果以上に教師の数は足りていない。

今回の調査は、「非常勤講師」や「再任用教員(短時間)」をフルタイム勤務の教師と同じ扱いで計算している。勤務時間が限られている教師には、授業以外の業務をまかせることができない。担任業務や事務仕事、放課後の生徒指導や部活動などの負担が、フルタイム勤務の教師に偏ってしまう。また、四月には人数が足りていても、年度の途中で産休・育休に入る職員がいる。**公立学校では年間五千人程度が精神疾患で休職**している。様々な事情で現場から人が減ったとしても、補充するための臨時的採用教員が見つからないのだ。

人が追加されなければ、残った職員で仕事を分担するしかない。「今年は担任だから」「周りに迷惑がかかるから」などの理由で、妊活をためらったり、育休の取得をあきらめたりする職員を見てきた。どの学校もぎりぎりの状態で業務を回している。

教師不足は、そのまま生徒にも影響を与える。中学校で深刻だったのは、音楽や美術、技術家庭科など技能教科の教師が足りないことだ。体育科の教頭が美術を教えたり、理科の教員が技術を教えたりしていた。

授業は教科書があれば何とかできる。問題は評価だ。専門的な知識のない教師が、生徒の作品を評価して成績を出すのは難しい。さらに中学校の場合は、教師の評価がそのまま高校入試の内申点として影響するから、責任は重い。他の学校の職員に相談するなどベストを尽くしても、教師の評価に対する不安は尽きないのである。

教師を目指す若者が減っていることも深刻な問題だ。

ここ十年間、教員採用試験の受験者数は減り続けている。逆にベテランの大量退職や、少人数学級実施の影響で採用者数は増加しており、全国的に採用試験の倍率が低下している。大分県では小学校教員の倍率が一・〇倍となるなど、人材確保の課題がニュースになった。志願者が減ることは、教師の人数が減ることを意味する。代わりの人がいないから教師は休むことができない。**現場の教師の負担は増え続け、ブラッ**

ク労働が改善されない。人材は民間企業に流れて、志願者が減っていく悪循環だ。

文部科学省はこの問題に対して、教員採用試験を従来の六月〜七月から、四月〜五月に前倒しして実施することで、民間企業の採用に対抗して優れた人材を確保する案を示した。見当違いの対策にはあきれる。若者は教師の働き方が嫌で避けているのだ。

今の時代、就職活動でＳＮＳを使った情報収集は当たり前。教師のブラックな労働環境など、大学生には全て伝わっている。教師の魅力を伝え、採用試験を早める。そんな形だけの取り組みでは、現場の声は変わらない。業務内容の削減や見直しで残業を減らすなど、**現場で働く教師を大切にし、効果の実感できる改革が必要**なのだ。

One Point

Ｚ世代と呼ばれる最近の若者は、多様な働き方やワークライフバランスを重視した就職活動をしている。学校に人材を集めるためには、真の働き方改革が不可欠だ。

教員の質は下がっているのか？

性犯罪で教員がクビになるのは当然だし、教育現場に二度と戻さないでほしい。いくら更生したことを証明する書類を提出したとしても、娘の担任になってほしくない。教室は密室と同じ。低学年の子は教師にくっつくし、中学生でも着替えは教室。そんな環境に性犯罪者を戻すのは、ありえない危険行為ですよ。

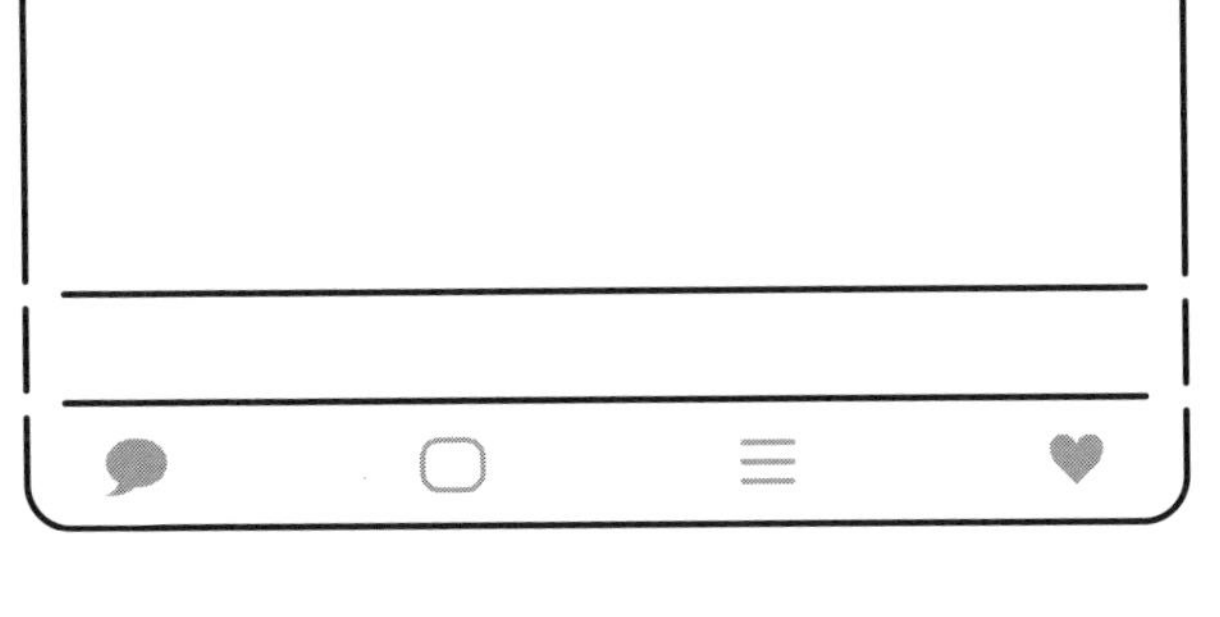

教員採用試験の倍率低下と合わせて、教師の質の低下を懸念する報道を目にする。だが倍率が低下したとしても、**ただちに教師の質が低下すると断言はできない。**

そう考える理由は二つある。

一つは、教師に求められる資質能力は多様であり、何をもって「質が低下した」と判断すればよいのかは難しいからだ。学生時代は勉強ができて優秀と言われていたベテラン教師でも、生徒との関係がうまく作れず病休になることがある。

また若手やベテランに限らず、仕事や担任としての指導ができない教師は一定数いる。倍率が高い時代に採用された教師の質が高いのかは、疑問である。現に学校改革を進める立場にあるベテラン教師や管理職は、ほとんどその成果を出せていないのだ。

もう一つは、**昔に比べて、今の教師に求められる指導力が高い**水準だということだ。小学校は英語教育にプログラミング学習、小中学校での道徳の教科化、タブレット端末の導入など、指導すべき内容は増え続けている。授業形態も、全員一斉の講義型授業から、個別に最適な学びを実現する授業への転換が求められている。

経験豊かなベテラン教師ですら、今までの指導方法を変えることに苦労している。

当然、若手教師が最初から全て実施することは不可能だ。若手が十分な授業の準備をできないほどに忙しく、先輩教師にもサポートする余裕がないことが問題なのである。ここでも働き方改革の必要性が見えてくる。

質の低下と関連して語られることが多い、教師の不祥事にも言及したい。

近年、教師の不祥事の報道が増えたように感じる。そのたびに「最近は教師の質が下がっている」といったコメントが私のツイッターに寄せられるのだが、本当なのだろうか。文部科学省の調査をもとに、処分された教師の年代を調べた。

体罰で処分された教師を年代別で見ると、二十代が三十五人、三十代が七十二人、四十代が六十八人、五十代以上が百六十五人（令和三年度）。

性犯罪・性暴力・セクハラで処分を受けた教師は、二十代が四十四人、三十代が六十九人、四十代が四十二人、五十代以上が六十人（令和三年度）となっている。

データを見ると、処分される年代にはばらつきがあり、急に教師の質が下がったとは言えない。むしろ、採用倍率が歴代最高だった時代に教師になり、勤続二十年以上となったベテラン四十代でも、処分される人数は二十代と変わらない。

では、なぜ教師の不祥事が増えたように感じるのだろうか。

その理由は、**過去の学校なら見逃されていた不祥事が、正しく処分されるようになったからだ**。体罰の例が顕著で、昔は教師による体罰が公然と行われていた。今は体罰の悪影響が認知され、部活動指導でも体罰根絶の動きが強まっている。だから**昔の指導方法が変えられないベテラン教師が、大量に処分されている**のだ。

この学校を取り巻く環境の変化は、子どもの安全を守るためにプラスである。そもそも体罰は暴行であり、犯罪だ。今まで見逃されてきたことが間違いである。真剣に子どもと向き合っている教師の方が、圧倒的多数であると忘れてはいけない。

One Point

過去の学校なら見逃されてきた不適切な指導が、正しく処分される時代になった。教師、子ども、保護者にかかわらず、学校で起こる犯罪行為は法律で裁くべきだ。

なぜ教師は病休になるのか？

生徒指導困難校に勤めたとき、授業中に徘徊（はいかい）し、校内の物を壊し、暴言を吐き、タバコを吸う、親も放置の生徒がいた。 その生徒の対応で、教師五人の空き時間はなくなり、一人はパニック障害。 たった一人の影響です。校則なんかで防げない。安全安心な学校には、法律を守らせることと外部の人的支援が必要。

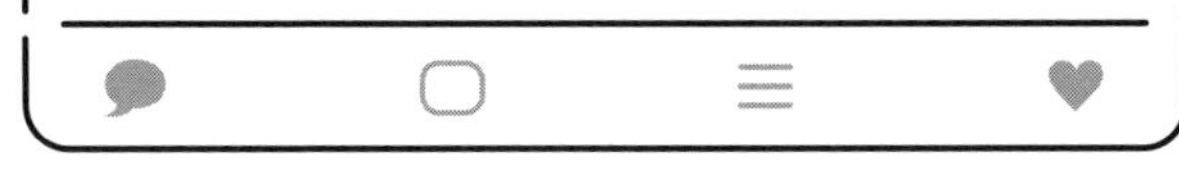

文部科学省の調査によると、令和三年度、教職員の精神疾患による休職者数は、五千八百九十七人と過去最多を記録した。十年以上連続で、五千人前後の教職員が精神疾患で休職している。**これだけの異常事態にもかかわらず、国や自治体は具体的な打開策を講じていない。**

学校では、教職員のストレスチェックが始まった。ストレスが強いという結果が出たら、受診やカウンセリングをすすめる。それでもストレスの根本的な原因は全く変わらないのだから、改善するはずがない。

ストレスの原因の一つとして、多忙な業務があげられる。**過労死ラインを上回る残業時間（公立学校では月の上限四十五時間）が減らなければ、いつ体調を崩してもおかしくない。**物理的に業務の数を減らすことが必要不可欠だ。

もう一つの大きな原因は、**生徒、保護者、同僚との人間関係のトラブル**である。私の同僚がうつ病になった理由は、問題行動のある生徒からの反発や、保護者からのしつこいクレームの対応だった。クラスの生徒や保護者との関係が悪化しても、担任は一年間関わらなければいけない。教師だって学校で毎日文句を言われるのはつらい。その**逃げられない状況が、教師を精神的に追いつめる**のだ。

本来、他の教師のフォローがあるべきだが、職員同士の関係が悪いと、面倒ごとを押しつけられたり、助けがもらえなかったりする。職員室でのパワハラやいじめだ。

学校は教師にとっても閉塞的な環境であり、外部の手が入りにくい。自治体によっては、「スクールロイヤー」と呼ばれる弁護士が、保護者対応の相談を受けている。外部人材の活用で、教師による問題の抱え込みを防げる。

特に法的視点でのアドバイスは、子どものいじめや、虐待問題にも効果が期待できる。制度として積極的に活用を進めるべきだ。

別の角度から、教職員の休職問題を考えてみる。

休職中の教職員は五千人以上いるが、休職中でも給料がもらえることを知っているだろうか。実は**休職中の教職員は、最大三年間、給料や手当を受け取れる**のだ。

まず休むことを決めたとき、最初に取得するのが病休だ。病休は九十日間（自治体によっては百八十日）取得することができる。この間は給料が満額支給されるので、安心して治療に専念できる。

病休の期間が過ぎると、その後は休職扱いになる。休職は最大で三年間取得できる。休職中は最初の一年間のみ、給料の八割が支給される。二年目以降は給料をもらえないが、公立学校の共済組合に入っていると、傷病手当金として給料の三分の二が支給される。

つまり、**休職者が生まれる状況を放置すれば、五千人分の給与を払いながらも労働力を失い、五千人分の追加人材を探す負担まで背負う**ことになるのだ。

現場の教師を守るため、教職の負のイメージを払拭するため、さらに国や自治体は自分たちの負担を減らすために、教職員の休職者問題へ本気で取り組んでほしい。

One Point

五千人を超える精神疾患者を出している学校は、若者の教職離れに拍車をかけるだけでなく、五千人分もの労働力と給与を無駄にしているのと同じだ。

ビルド＆ビルドで疲弊する現場

国や自治体は、学校現場に新しいことをやれと言ってくるけど、金は出さないし、人は増えないし、減らされる業務もない。どこにそんな余裕があると思っているのか？新しいことを一つ始めたいなら、古いことを一つやめてくれ。話はそれからだ。

新しい学習指導要領では、プログラミング学習やタブレット端末を活用したＩＣＴ教育の充実が追加された。また、従来の講義式授業から脱却し、全教科で生徒の主体的な学びを重視する学習方法を取り入れることが定められている。

時代の変化に合わせて、教師が指導方法や内容を変えていくのは当然だ。授業が変わらなければ、子どもの学び方も変わらない。授業は、教師が最も力を入れて取り組むべき重要な業務である。

問題は、現場の余裕のなさにある。教師の業務量はすでに限界を超えている。そこに「新しいことに挑戦しろ」という指示がきても無理だ。現場からは不満や反発の声が上がるだけで、授業は全く変わらない。

今、各自治体の教育委員会が頭を悩ませているのは、一人に一台配布されたタブレット端末の活用率だ。文部科学省では、新型コロナの流行に対応するため、二〇二〇年度の補正予算で二千二百九十二億円もの税金を投入し、タブレット端末やネットワークの整備を進めた。自治体でも多くの税金を使ったが、活用率は思うように上がらず、議会から対策を迫られているのだ。

当時の学校の状況はどうかというと、コロナ禍で増えた業務はあっても、減った業務はない。毎日の検温や健康観察の強化、感染症対策が加わった。行事や部活動は、コロナ対策に合わせた新しい形で実施している。

さらに新しい学習指導要領に合わせて、教科書の内容も変わった。それに合わせて授業のプリントやテストも作り直さなければならない。道徳は教科化され、文章で評価をする必要が生まれた。毎日の授業でも、少しずつ改善を求められていた。

そんな中、突然タブレット端末が導入された。しかし、全職員に向けた操作研修はない。運用は全て現場に丸投げだった。授業支援システムが導入されても、使い方や活用場面が示されていなかった。さらにiPadやクロームブックなど、使い慣れない端末の操作方法から分からないケースもあった。普段からパソコンを授業で使っているＩＣＴ機器に強い一部の教師以外は、使えるはずもなかった。

今は各学校や教育委員会の努力もあり、多くの活用事例が共有されている。それでも日々の業務負担が減らない以上、授業準備の時間はわずかだ。ＩＣＴ機器が苦手な教師は今までの授業スタイルから変えられず、活用状況は二極化している。

ここでタブレット端末の活用を訴えたいわけではない。**残業前提で新しい取り組み**

が始まるのがおかしいと言いたいのだ。家庭や個人の都合があって、残業ができない教師もいる。各授業に新しい取り組みが加わると、どれだけ残業時間が増えるだろうか。そもそも給特法で教師には残業代が出ない。「**お金も出さない、時間も作らない、でも新しいことに挑戦してほしい**」。**こんな無茶ぶりで変わるはずがない**のだ。

世界的な大企業のグーグルには「二十％ルール」という、業務時間の二十％を自分の好きなことに使える有名なルールがある。業務と関係ないことをする時間が、イノベーションを生みだすのにどれだけ大切とされているかが分かる取り組みだ。

学校が変わるためには、ゆとりが必要である。ゆとりがあれば、問題が起こっても全員で対処できる。学校の働き方改革は、子どものためにも必要なのだ。

One Point

子どもの学校生活で、一番長いのは授業時間である。子どもにとって授業時間の充実は、学校生活の充実と同じだ。

すでに進んでいる学校改革

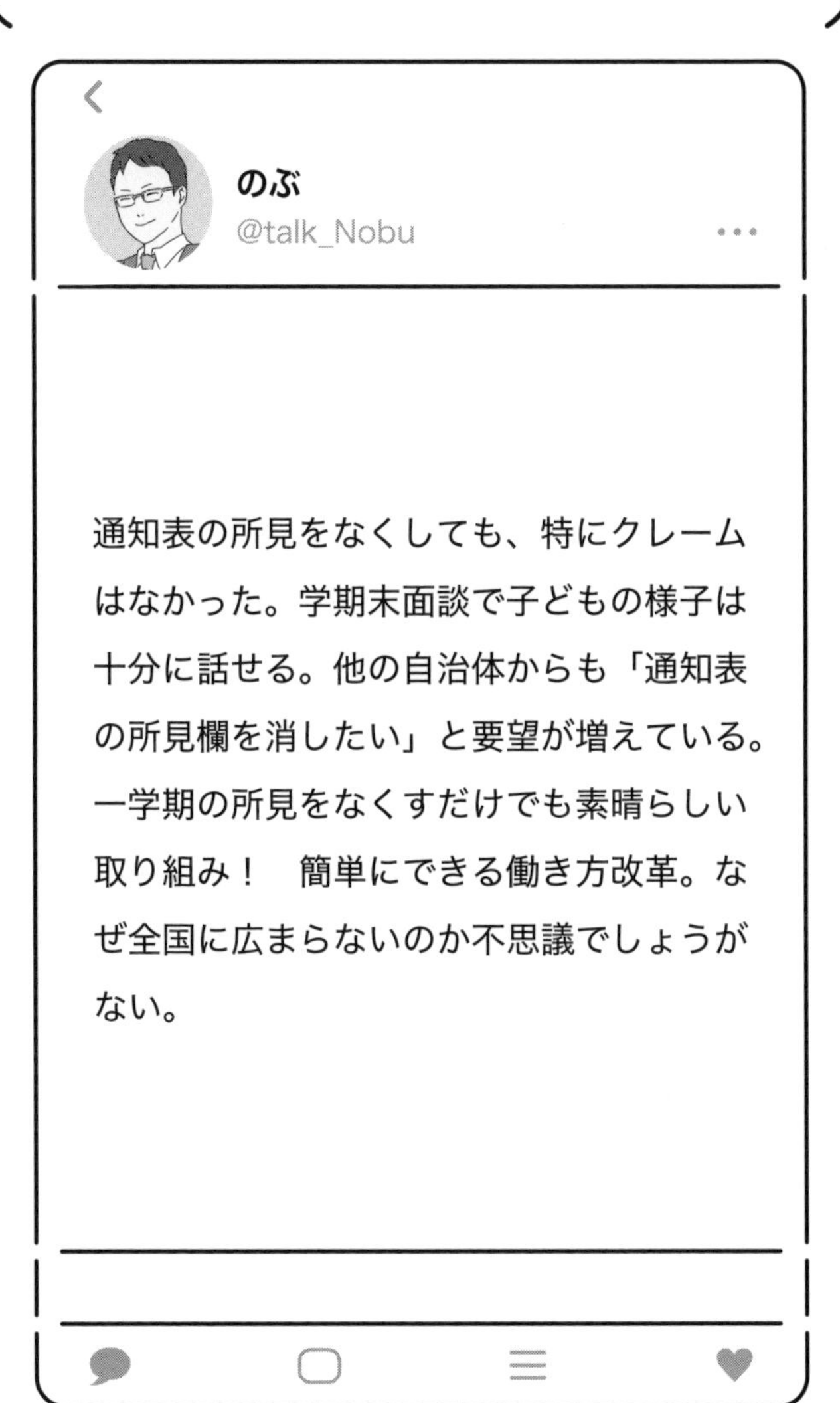

のぶ
@talk_Nobu
通知表の所見をなくしても、特にクレームはなかった。学期末面談で子どもの様子は十分に話せる。他の自治体からも「通知表の所見欄を消したい」と要望が増えている。一学期の所見をなくすだけでも素晴らしい取り組み！　簡単にできる働き方改革。なぜ全国に広まらないのか不思議でしょうがない。

学校の働き方改革はまだまだ進んでいない。しかし、全国の自治体、学校を見れば、小さな働き方改革の成功例がいくつも存在する。

その成功事例を集めてまとめたものを、文部科学省が「全国の学校における働き方改革事例集」として公開している。その事例の多くが業務を効率化する工夫である。それでも勤務時間内に収まる業務量ではない。本気で働き方を変えたいなら、業務を削減するしか方法はないのだ。

ここでは、事例集の中から、業務の削減に成功した事例を紹介したい。

一つ目は、**二学期制の採用**だ。三学期制の学校は、二学期制に変えるだけで業務が削減できる。一番大きいのは、成績評価と通知表作成の回数が一回減ること。成績確認のチェックや会議も一回分少なくなり、長期休業前の慌ただしさもなくなる。

二つ目は、**所見の廃止**だ。通知表に教師からのコメントを載せないようにする。一人一人にコメントを考えるのは大変な作業で、十時間以上かかる。削減できる効果は大きい。保護者には面談で様子を伝えれば問題ない。年度末の通知表のみコメントを書く学校もあるようだが、全て廃止した学校もある。真似すればいいのだ。

三つ目は、**学校行事の廃止、縮小**だ。毎年実施していたマラソン大会をやめたり、運動会の日程を半日に短縮したりした、という事例がある。行事を廃止すると、準備時間も削減できる。去年もやったからという理由で続いているような行事は、すぐ廃止すべきだ。

四つ目は、**電話受付時間の制限と、留守番電話への切り替え**だ。指定の時間以降は留守番電話でメッセージを受け取り、電話対応をなくした学校がある。この取り組みは、学校から地域や家庭のトラブルを切り離せることに大きな価値がある。子どもの命に関わる緊急事態は別として、学校の教師にも勤務時間があり、**業務時間外は対応できないと保護者や地域の人に示す必要がある**のだ。

五つ目は、**土日の部活動の地域移行**だ。土日の部活動を学校から切り離し、保護者クラブに依頼した学校がある。教師は土日に休めるようになり、自分の家族と過ごす時間が増えた。**中学校教師の働き方改革を成し遂げるためには、部活動を学校から切り離すことが必要条件**だ。この学校では、平日の部活動も勤務時間内に収めている。教師は残業代が出ないのだから、全国の学校でも当たり前になるべきだ。

このように、真似すれば確実に業務が削減できる事例が存在している。後は各学校で実行に移すのみである。しかし、学校の変化を止めようとする人が邪魔をする。「先生が楽をしてどうする」などと見当違いな指摘をする。

学校は今まで通りでも潰れないし、教師もクビにならない。変わらないことの**しわ寄せを受けるのは、社会に出ていく子どもたち**である。ブラックな学校を変える目的は、子どもたちの学習環境を改善することなのだ。

One Point

学校では当たり前だった習慣も、今から変えることができる。変わるリスクを恐れずに、スピード感をもって学校改革を進めてほしい。

おわりに

理不尽な学校の文化に悶々とした日々を過ごしていた私が、「学校は変えられる！」と確信したのは、最後に三年間勤めた学校での経験だ。

私は赴任してすぐ、生徒指導担当として、「靴下と下着の白色指定」の校則をなくした。他の職員からも時代遅れすぎると同意が得られ、黒や紺など他の色も許可した。すると、いつも黒い靴下を履いて注意されていた生徒が、気にする必要のない存在に変わったのである。指導の機会が減ることで、お互いのストレスが減った。別に気にしなくても、困ることは何もなかったのだ。

その後は教師たちもだんだん靴下の色を気にしなくなった。ときには派手な柄の靴下を履いてくる生徒もいたが、笑い話のネタにするくらいの余裕が教師に生まれた。教師の管理する意識が薄れて、子どもと良い関係が保てるようになった。

「靴下と下着の色指定を変える」という小さな変化が、「校則は変えられる」という大きな成功体験となった。その後の様々な改革につながった。夏の体操着登校や冬のひざ掛けの許可、髪形の校則の緩和など、生徒の意見も聞きながら、より過ごしやすい学校を目指して変わっていった。

学校に生まれた改革の流れは、校則にとどまらない。

マラソン大会はやめた。各行事の時間を短縮した。花壇の整備や放課後のＰＴＡ活動も縮小した。部活動は練習時間を短縮して、放課後に余裕を作った。管理職や同僚にも恵まれ、各々が改革に取り組んだ結果である。

その変化を入学してから見てきた三年生は「私たちが入学してから、かなり学校が変わりましたね。今の一年生が羨ましい！」と誇らしげに話してくれた。子どもたちは教師のことをよく見ている。教師が本当に「子どもたちのために」考えて行動しているのかは、生徒からはお見通しである。生徒たちが学校の変化を受け入れて、荒れることなく前向きに学校生活を送ってくれなければ、反対する教師を納得させられなかっただろう。一緒に学校を変えて、新しい伝統を作ってくれた生徒たちには感謝しかない。

学校は変わった。そして、私は次の新しい挑戦のために、その三年生と一緒に学校を卒業することを決意した。年功序列の公務員で、多くの学校を変える立場につくには年齢がまだ足りない。だから三十代の残りは、自分の知見を広げるために行動する。学校を変えるための修業期間だ。

今は全国の教育委員会を相手に、学校のＤＸ化を提案している。学校の働き方改革に悩んでいるのは、教育委員会も同じだ。そして、ツイッターで情報発信を続けることで、たくさんのフォロワーともつながれた。本書を出すきっかけにもなった。一つ一つの行動の積み重ねで、環境を変えることができる。学校も変えられる。だから、問題を抱えている人も、何か一歩踏み出すことで、変えていこう。

二〇二三年四月

のぶ

最後に、ここまでお読みいただきありがとうございました。様々な立場で学校に関わるみなさんに、本書が少しでもお役に立てれば幸いです。私もみなさんと一緒に、まだまだ精進し続けます。

初等中等教育局児童生徒課. “別添3　いじめ防止対策推進法”.文部科学省.2013,(参照 2023-01-12).
https://www.mext.go.jp/a_menu/shotou/seitoshidou/1337278.htm

日本ユニセフ協会. “子どもに対する暴力撲滅を　ユニセフ、30カ国の若者に調査”.日本ユニセフ協会.2019,(参照 2023-01-12).
https://www.unicef.or.jp/news/2019/0124.html

藤原夏人. “韓国におけるいじめ対策法制”.国立国会図書館ホームページ.2019,(参照 2023-01-12).
https://dl.ndl.go.jp/view/download/digidepo_8220779_po_02560005.pdf?contentNo=1

○Chapter 5

田中まさお. “「判決文」一覧”.埼玉教員超勤訴訟・田中まさおのサイト.2022,(参照 2023-01-12).
https://trialsaitama.info/?cat=11

○Chapter 6

公立学校共済組合. “傷病手当金/傷病手当金附加金”.公立学校共済組合.2017,(参照 2023-01-12).
https://www.kouritu.or.jp/kumiai/tanki/kyugyo/shobyo/index.html

初等中等教育局学校デジタル化プロジェクトチーム. “GIGAスクール構想に基づく1人1台端末の円滑な利活用に関する調査協力者会議(第3回)配布資料”.文部科学省.2021,(参照 2023-01-12).
https://www.mext.go.jp/b_menu/shingi/chousa/shotou/167/siryo/mext_00917.html

初等中等教育局財務課. “改訂版 全国の学校における働き方改革事例集(令和4年2月)”.文部科学省.2022,(参照 2023-01-12).
https://www.mext.go.jp/a_menu/shotou/hatarakikata/mext_00001.html

初等中等教育局初等中等教育企画課. “令和3年度公立学校教職員の人事行政状況調査について”.文部科学省.2022,(参照 2023-01-12).
https://www.mext.go.jp/a_menu/shotou/jinji/1411820_00006.htm

須山智子. “教員・教師が休職するには？手続きと注意点を徹底解説”.EDULIFE(エデュライフ).2022,(参照 2023-01-12).
https://rework.kotobalab.co.jp/column/539/

総合教育政策局教育人材政策課、初等中等教育局財務課. “「教師不足」に関する実態調査”.文部科学省.2022,(参照 2023-01-12).
https://www.mext.go.jp/a_menu/shotou/kyoin/mext_00003.html

妹尾昌俊. “公立学校教員採用選考試験「小学校で過去最低の2.5倍」、低倍率のカラクリ”.東洋経済education × ICT.2022,(参照 2023-01-12).
https://toyokeizai.net/articles/-/619098

○Column

学校教育課高等学校指導グループ. “令和5年度青森県立高等学校入学者選抜における求める生徒像・選抜方法等一覧について”.青森県庁.2022,(参照 2023-01-12).
https://www.pref.aomori.lg.jp/soshiki/kyoiku/e-gakyo/R05motomeru.html

教育庁都立学校教育部高等学校教育課入学選抜担当. “令和5年度東京都立高等学校募集案内及び令和5年度東京都立高等学校応募資格審査取扱要項 令和5年度入試実施方法一覧”.東京都教育委員会.2022,(参照 2023-01-12).
https://www.kyoiku.metro.tokyo.lg.jp/admission/high_school/exam/files/guide2022/16.pdf

参考文献

○はじめに

初等中等教育局児童生徒課. “令和3年度 児童生徒の問題行動・不登校等生徒指導上の諸課題に関する調査結果”について.文部科学省.2022,(参照 2023-01-12).
https://www.mext.go.jp/content/20221021-mxt_jidou02-100002753_1.pdf

○Chapter 2

厚生労働省. “働き方・休み方改善ポータルサイト Ⅰ.休暇をとることの重要性”.厚生労働省.2019,(参照 2023-01-12).
https://work-holiday.mhlw.go.jp/holiday/manual_1.html

○Chapter 3

学校における働き方改革特別部会. “教員勤務実態調査(平成28年度)(確定値)について”.文部科学省.2016,(参照 2023-01-12).
https://www.mext.go.jp/b_menu/shingi/chukyo/chukyo3/079/siryo/__icsFiles/afieldfile/2018/09/28/1409717_4_1.pdf

スポーツ庁政策課学校体育室. “運動部活動の在り方に関する総合的なガイドライン”.文部科学省.2018,(参照 2023-01-12).
https://www.mext.go.jp/sports/b_menu/shingi/013_index/toushin/__icsFiles/afieldfile/2018/03/19/1402624_1.pdf

スポーツ庁地域スポーツ課　地域運動部活動推進係. “学校の働き方改革を踏まえた部活動改革”.スポーツ庁.2020,(参照 2023-01-12).
https://www.mext.go.jp/sports/b_menu/sports/mcatetop04/list/detail/1406073_00003.htm

日本スポーツ協会 スポーツ科学研究室. “スポーツ活動中の熱中症予防ガイドブック”.公益財団法人日本スポーツ協会.2019,(参照 2023-01-12).
https://www.japan-sports.or.jp/medicine/heatstroke/tabid523.html

日本高等学校野球連盟. “高校野球特別規則(2022年版)”.日本高等学校野球連盟.2022,(参照 2023-01-12).
https://www.jhbf.or.jp/rule/specialrule/specialrule_2022.pdf

文化庁. “文化部活動の在り方に関する総合的なガイドライン”.文化庁.2018,(参照 2023-01-12).
https://www.bunka.go.jp/seisaku/bunkashingikai/kondankaito/bunkakatsudo_guideline/h30_1227/pdf/r1412126_01.pdf

○Chapter 4

浅野ナオミ. “中学校がトイレの天井に防犯カメラを設置　「いじめやたむろを監視」に賛否両論”.Sirabee リサーチ.2021,(参照 2023-01-12).
https://sirabee.com/2021/09/04/20162650409/

公務員総研編集部. “アメリカではいじめの加害者は、どのように罰せられるのか？”.公務員総研.2021,(参照 2023-01-12).
https://koumu.in/articles/200314b

後閑駿一. “フランスでいじめ防止に向け「厳罰化」の動き 加害者に「禁固10年」の刑罰も”.日テレNEWS.2022,(参照 2023-01-12).
https://news.ntv.co.jp/category/international/fd663787b92149458fe57bd721725186

初等中等教育局児童生徒課. “令和3年度 児童生徒の問題行動・不登校等生徒指導上の諸課題に関する調査結果について”.文部科学省.2022,(参照 2023-01-12).
https://www.mext.go.jp/content/20221021-mxt_jidou02-100002753_1.pdf

のぶ @talk_Nobu

元公立中学校教師。
高校時代に校則がない学校で過ごした経験から、見た目をしばる校則に対して疑問をもち、改善するために行動してきた。8年間生徒会の担当として、いじめのない学校づくりを目指す取り組みを続ける。いじめ加害者の別室指導や出席停止も経験した。妻の妊娠、出産をきっかけに、自分の働き方を大きく改革。学級担任、部活動顧問、生徒会担当、生徒指導担当を掛け持ちしながら、「学校で一番早く帰る」をモットーに行動。独身時代は残業時間150時間を軽く超えていたが、月30時間程度に縮小させた。退職後、本格的に始めたツイッターでは、学校のモヤモヤ代弁者として、理不尽な指導や文化を中心に発信中。現在のフォロワー数は4万人を超える。DMには学校のいじめ指導に悩む保護者から、数多くの質問が寄せられている。地方ラジオ出演、テレビの取材やインタビュー出演、ニュース記事の取材など、メディアにも数多く取り上げられた。現在はIT企業に転職して、学校のDX化を提案している。二児の父。

学校というブラック企業
元公立中学教師の本音

2023年4月30日　第1版第1刷発行

著　者　**のぶ**
発行者　**矢部敬一**
発行所　**株式会社 創元社**
〈本社〉〒541-0047　大阪市中央区淡路町4-3-6
電話 06-6231-9010(代)
〈東京支店〉〒101-0051　東京都千代田区神田神保町1-2 田辺ビル
電話 03-6811-0662(代)
〈ホームページ〉https://www.sogensha.co.jp/

印　刷　**太洋社**
校　正　**あかえんぴつ**
イラストレーション　**シモダアサミ**
ブックデザイン　**原田恵都子**（Harada+Harada）

 ISBN978-4-422-12074-4 C0037